Annette Mingels

Romantiker

Annette Mingels

Romantiker

Geschichten von der Liebe

DUMONT

Die Autorin dankt dem Literarischen Colloquium Berlin
für die Förderung ihrer Arbeit an diesem Buch.

Erste Auflage 2007
© 2007 DuMont Literatur und Kunst Verlag, Köln
Umschlag: Zero, München
Gesetzt aus der Dante
Gedruckt auf säurefreiem und chlorfrei gebleichtem Papier
Druck und Verarbeitung: Clausen & Bosse, Leck
Printed in Germany

ISBN: 978-3-8321-8014-9

L'amor che move il sole e l'altre stelle.
Dante Alighieri, La Divina Commedia

Sie dachte trotzdem noch: Es ist
nichts, es ist nichts, es kann mir
doch gar nichts mehr geschehen.
Es kann mir etwas geschehen,
aber es muß mir nichts geschehen.
Ingeborg Bachmann, Drei Wege zum See

Romantiker

In einem Dorf, wenige Fahrminuten von der Grenze entfernt, bog er auf den Vorplatz einer Tankstelle ein, das rot-gelbe Schild, der Laden, zwei Staubsauger an der rechten Seitenwand, hinter dem Gebäude eine Waschstraße, vor der sich samstags eine Autoschlange bilden würde. Einen Moment, sagte er und schlug bereits die Tür hinter sich zu, und sie sah ihn die Tankstelle betreten und an der Kasse anstehen, bevor er mit einem langen Schlüssel in der Hand aus der Glastür trat und hinter dem Haus verschwand.

Sie kannte ihn seit sechzehn Tagen. Am vierzehnten Tag hatte er gesagt, Frankreich. Frankreich, und dann weiter, soweit es geht, als seien wir auf der Flucht, wie wäre das? Sie hatte den Kopf in die Hände gelegt und ja gesagt. Aber nichts war ihr wichtig, es hätte, dachte sie, alles anders sein können, er, die Richtung, ihre Antwort, nur nicht dieses Gefühl, dass etwas Bestürzendes bevorstand, darauf, dachte sie, kommt alles an. Der Schritt ans Fenster und in der Ferne die Elbauen, ein Dampfer auf dem Fluss, und als sie die Augen schloss, hatte sie die Bugwellen spüren können, als kreise das Wasser um ihre Fesseln.

Drei Pullover, eine Hose, ein Kleid, Unterwäsche, greif blind in den Schrank, hatte er gesagt, während er die Augen zusammenkniff und den Finger über der Landkarte kreisen ließ, um von Zeit zu Zeit auf das Papier hinunterzustechen und das Spiel zu wiederholen, wenn er stirnrunzelnd den Namen unter seinem Finger las.

Er wollte den Motor schon starten, als ihr einfiel, dass sie durstig war, sie sagte, warte, lass mich schnell reingehen, willst du auch was?, und er schüttelte den Kopf und drehte den Schlüssel mit einem winzigen Klacken zurück. Geh nur, sagte er, lass dir Zeit. Er würde nicht wegfahren, das wusste sie, aber warum erst jetzt, dachte er, warum fiel ihr das ein, nachdem er aus dem Laden zurückgekehrt war, warum erst, als er schon den Schlüssel gedreht hatte. Er sah ihr hinterher, wie sie auf den Laden zuging und stehenblieb, um einer Bettlerin Geld zu geben, einige Münzen, die sie aus ihrer Rocktasche kramte und die die Frau ohne ein Lächeln entgegennahm und von der rechten in die linke Hand legte.

Stell dir vor, sagte sie, als sie wieder im Wagen saß, die Flasche Wasser stand zwischen ihren Beinen, der Rock bauschte sich um ihre Hüften, sie fächelte sich mit der Landkarte Luft zu, die hat nur Süßigkeiten gekauft. Die Bettlerin, erklärte sie ungeduldig, als er nicht reagierte, eine dieser Plastikdosen voll giftgrüner Gummibärchen. Sie schüttelte sich, dann trank sie einen Schluck vom Wasser, aber weil er bremsen musste – ein Lastwagen hatte ihn überholt – lief ihr das Wasser am Kinn herab, tropfte auf die gestreifte Bluse, den Rock. Er sagte, Süßigkeiten, und sie nickte. Vielleicht ist das ihre Sucht, sagte er, aber sie lachte nicht, sie sah aus dem Fenster, verdrehte sie die Augen?, er gab sich Mühe, sah sie das nicht? Gib mir einen Schluck, sagte er, und sie wischte mit einer Hand über die Flaschenöffnung und hielt ihm die Flasche hin. Ich spucke rein, dachte er, und du wirst es trinken, ohne es zu merken, aber er tat es nicht.

Er hatte die Musik leiser gedreht und ließ sie die Straßenschilder lesen wie ein Gedicht, die französischen Namen der Städte, die Wegweiser, die sie zum Schwimmbad, zur Eisbahn, zum Einkaufszentrum schicken würden, die Werbetafeln, et votre petit tigre ronronne, sie lachte und wiederholte das letzte Wort, ronronne, tatsächlich klang es wie ein Schnurren, sie sang das Wort, stimmte eine merkwürdige, kleine Melodie an, die ihm vertraut schien, und er wandte kurz den Blick von der Straße ab und sah für einen Moment aus wie ein großäugiges, spitznasiges Tier, sie lächelte ihm zu und er nahm eine Hand vom Lenkrad, um sie auf ihr von der Sonne warmes Knie zu legen.

Kurz vor Dijon bekam sie Hunger, sie sah auf die staubiggrünen Blätter der Bäume, die Gräser und Blumen neben der Landstraße, die sich, vom Fahrtwind der Autos geschliffen, der Erde zuneigten, sie sagte, lass uns beim nächsten Gasthof anhalten, und er nickte und sagte, okay, und klang müde dabei, als habe er in den Minuten, die sie nicht miteinander gesprochen hatten, an anderes, weit Entferntes gedacht und nun Mühe, sich wieder einzufinden in diesen Augusttag, der sich aufplusterte wie eine Amsel.

Sie hielt die Speisekarte so, dass er mitlesen konnte, und er zog die Augenbrauen in die Stirn und las, Zeile für Zeile. Was ist das, fragte er, und das, und das?, und sie sagte, Schnecken, sie sagte, Zwiebelsuppe, sie zuckte mit den Schultern und tippte sich mit einem Finger gegen die Lippen, weiß auch nicht, sagte sie, dann deutete sie auf ein Gericht und sagte, Huhn mit Kartoffeln und Salat, das nehme ich, und er tat, als überlegte er, dann sagte er, warum nicht, für mich auch, und setzte sich wieder auf den Platz ihr gegenüber, von dem aus er den Garten im Blick hatte. Dass er aber auch gar nicht merkt, wie schlecht mein Französisch ist, dachte sie, als sie beim Kellner bestellt hatte, der zweimal hatte nachfragen müssen, sie lachte innerlich, und er saß zurückgelehnt auf dem weißen Metallstuhl, hielt sein Gesicht der Sonne entgegen, die den hellen Flaum zwischen Nase und Mund schimmern ließ. Er dachte, ich öffne die Augen erst, wenn das Essen kommt, und hörte, wie sie den Salzstreuer auf dem Tisch herumschob.

Lass uns ein Spiel spielen, sagte sie nach dem Essen. Ein Spiel?, fragte er und nahm ihre Hand, deren Innenfläche hell und von verästelten Linien durchzogen war, was für eines? Lass uns, sagte sie, Menschen nachmachen, du weißt schon, sie nahm eine

straffe Haltung an, reckte das Kinn ein wenig nach oben, sie sprach
plötzlich nasal, ließ das ›R‹ rollen, verschluckte die Endungen der
Wörter, während sie über das Leben in Dresden sprach, die vietnamesischen Zigarettenverkäufer, die nicht enden wollenden Bauarbeiten, mit dem Auto bist du in Dresden aufgeschmissen, sagte sie
und blinzelte nervös, nach jedem Satz fuhr sie sich mit einer Hand
über die Stirn, als wolle sie sich den Pony aus dem Gesicht schieben, aber ihre Haare waren kurz, sie begann erneut, Dresden, das
ist, und er unterbrach sie und sagte gelangweilt, Vladimir, und sie
nickte. Jetzt du, sagte sie. Sie lehnte sich zurück, verschränkte die
Arme vor der Brust und sah ihn erwartungsvoll an. Er überlegte einen Moment, dann beugte er sich über den Tisch, trommelte mit
den Fingern auf der Tischplatte herum, legte den Kopf nach links,
gleich darauf nach rechts, kratzte sich an der gekrausten Nase, warf
die Stirn in Falten, als denke er nach, tippte sich mit einem Finger
kurz an die Lippen, lachte laut auf, dann sagte er, ich habe Durst,
mit einer aufdringlichen Kinderstimme, und Hunger, sagte er, ich
bin so müde, dann gähnte er, ohne sich die Hand vor den Mund zu
halten, er war albern und unangenehm, und sie rief, wer ist das?,
das ist ja furchtbar, hör auf!, und er nahm einen Schluck von seinem Bier, wischte sich mit dem Handrücken über den Mund und
sagte, den Blick auf den Bach geheftet, der gemächlich am Rand
des Gartens dahinfloss: Das bist du.

Aber sie waren in Frankreich, es war ein schöner Tag, und
das würde sich nicht ändern. Den ganzen August hindurch hatte es
geregnet. An einem solchen Regentag war sie unter dem milchwei
ßen Dresdner Himmel vom Krankenhaus zur Bushaltestelle gelaufen, er war einen Schritt zur Seite getreten, um ihr unter dem
schmalen Plastikdach Platz zu machen, und sie lächelte ihm zu und
nahm im Bus ihre Tasche vom Nebensitz, damit er sich setzen
konnte. Plötzlich warst du da, sagte er am Abend zu ihr, da saßen
sie in ihrem Wohnzimmer und er hielt eine der geblümten Tassen

in der Hand, in die sie heißes Wasser gegossen und einen pflaumenfarbenen Teebeutel gehängt hatte, Tee, den sie händeweise aus dem Krankenhaus mitnahm, vom unbeaufsichtigt im Flur stehenden Wagen, und sie lachte und sagte, ich habe dich schon einmal in der Stadt gesehen und du hast mir gleich gefallen. Er stellte die Tasse auf einen kleinen Stapel Zeitschriften, zündete sich eine Zigarette an, die er am untersten Rand des Filters hielt, und zupfte die alte Perserkatze an den dunkel aus dem honiggelben Fell hervorstehenden Ohren, die ungeduldig zuckten, sobald er damit aufhörte. Er suche die Liebe, seitdem er denken könne, sagte er und ließ dabei den Rauch durch die Nase entweichen, so dass jedes seiner Worte eingehüllt wurde, die einzige, die wahre Liebe, er lachte, ich bin ein Romantiker, und sie sagte, ich auch, das macht doch nichts.

Was heißt schon schön, sagte er am zweiten Tag, natürlich bist du schön, aber eben auf eine unauffällige Art. Wie groß bist du?, fragte er sie, da kannten sie sich eine Woche, und sie sagte, kommt es denn auf die Größe an, ein Meter sechsundfünfzig, und er zuckte mit den Schultern und küsste sie auf den Kopf. Aber war es das, was sie verunsicherte? Warum bloß fielen ihr, wann immer sie an die zurückliegenden Tage dachte, nur diese Momente ein und nicht die schönen: seine Art, ihren Namen auszusprechen, jede Silbe betonend, als handele es sich um etwas Wertvolles, seine Versuche, sie zum Lachen zu bringen, indem er die Katze mit tiefer, wehmütiger Stimme über fehlende Mäuse klagen ließ, die Erzählung vom ersten Kuss, den er, spät genug, mit sechzehn Jahren erhalten hatte, von der Cousine seiner Mutter, die, jung und hübsch und hochschwanger, zu Besuch gekommen war und ihn eines Morgens im Bad überrascht hatte, und wie verlegen er wurde, als er sich daran erinnerte!, sie musste lachen, und er sah zu ihr, wie sie mit angezogenen Beinen auf dem Beifahrersitz saß, die Landschaft zog rasch hinter ihr vorbei, sie grinste, sah ihn an und sagte, nichts, es ist nichts, mir fiel nur gerade etwas ein. Aber sie liebte ihn nicht.

Ich muss mal, sagte sie kurze Zeit später, kannst du anhalten, dort, sagte sie, am Waldrand, geht das?, und er dachte, ein Kind, sie ist ein echtes Kind, und blinkte und bog in den nächsten Seitenpfad ein, der ein kurzes Stück in den Wald führte. Das späte Sonnenlicht schoss durch die Blätter und überzog die Autoscheibe mit einem Schattenmuster. Hier?, fragte er, und sie nickte und sprang aus dem Auto, kaum dass er angehalten hatte.

Zwischen den Bäumen sah er sie langsam umhergehen, den Blick auf den Boden gerichtet, fast als suche sie etwas, eben hatte sie es doch noch so eilig gehabt, er fuhr sich mit den Händen durch die Haare, dann öffnete er die Autotür, streckte die Beine aus. Das Reiben seines Kopfes am Velourspolster, als ob man mit allen zehn Fingern im Sand gräbt. Diese Müdigkeit, dachte er, als er ein Knacken hörte, in unmittelbarer Nähe, doch als er mit zusammengekniffenen Augen in das Gesträuch neben dem Auto schaute, sah er nichts, ein Vogel, dachte er, ein Eichhörnchen, vielleicht. Wie lange sie brauchte! Sie hatte inzwischen einen Platz gefunden, der ihr geeignet erschien, hinter ihr ein breiter, grobrindiger Baum, zu ihrer Linken ein Busch mit Hunderten weißer Beeren, sie ging in die Hocke, wenn er nur wüsste, wie unangenehm ihr das war, doch sie kannte ihn nicht gut genug, um ihn zu bitten, ihr zu folgen, sich vor ihr zu postieren, mit dem Rücken zu ihr. Diese Angst, entdeckt zu werden! Aber hier war niemand, nur ein Pilz stand einen Meter von den gelben Spitzen ihrer Sandalen entfernt, ein Pilz, dessen hellbraune runde Kappe einzelne weißliche Flecken zeigte, Augen, mit denen er sie wie ein einbeiniger Spion zu beobachten schien. So schnell es ging, stand sie auf und rannte den Weg zum Auto zurück, vielstimmiger Vogellärm, ein Rascheln der Baumkronen, weit oben in einem immer noch wolkenlosen, schon dunkelnden Himmel, wenn sie schrie, würde er sie hören?, wo war das Auto?, aber da stand es ja, der rot glänzende Kotflügel hinter zwei verblühten Himbeersträuchern.

Hast du mich vermisst?, fragte sie atemlos und beugte sich über ihn, und er ließ es zu, dass sie mit ihrer warmen rauen Zunge über seine Lippen leckte und eine Hand dabei auf seinen Schritt legte, ihr Gesicht sehr nah vor seinem, ihr rosafarbenes, in eine abgerundete Spitze mündendes Ohr, ihre seltsam bräunlich-blauen Augen, die sie jetzt halb schloss, so dass sie berechnend aussah, ihr braunes Haar, das wellig über der Stirn stand, er sagte, ja, sehr, er lachte, und dann dachte er, warum nicht, und begann ihre Bluse aufzuknöpfen, die weißen Plastikknöpfe, von denen jeder einzelne, wie er verwundert feststellte, die Form einer Rosenblüte hatte. Hilf mal, sagte er, und sie zog sich gehorsam die Bluse über die Schultern und hielt ihm ihre Brust entgegen, die er kurz streichelte. Komm her, sagte er. Sie war so leicht, dass er sie auf seinen Schoß setzen konnte wie ein Kind. Warte, er schob sie noch einmal zurück, mit der linken Hand griff er unter seinen Sitz und rollte ihn so weit wie möglich nach hinten, jetzt, sagte er und zog sie zu sich, und sie wusste, was zu tun war, bewegte ihren Unterleib, während sie ihn küsste und an seinem Ohr atmete, laut und manchmal wie verschreckt. Ob er sie wohl absichtlich gegen das Lenkrad stieß? Komm, sagte sie und hob ihren Hintern ein wenig an, komm, er öffnete seine Hose, und sie küsste seinen Hals und sah dabei hinunter auf sein Geschlecht, das dunkel aus dem Hosenschlitz ragte, er hatte sie bei den Hüften genommen und drückte sie nun nach unten, aber sie sträubte sich ein wenig, machte ihn zum Verführer, fast musste er lachen, er sagte ungeduldig, willst du etwa nicht, und sie wisperte, doch, sie sagte, doch, ich will, und schob mit einer Hand ihre Unterhose zur Seite, so ist es gut, lobte er, dann ließ er sich in seinem Sitz ein kleines Stück zurückgleiten und dirigierte sie an den Hüften in die richtige Position, ihre Augen weit offen über seinem Gesicht, würde er sich in ihrer Iris spiegeln?, er drehte den Kopf zur Seite und sah in das unrasierte Gesicht eines Mannes, der, nur Zentimeter von ihm entfernt, neben der Fahrertür kniete und, den Mund halb geöffnet, das Geschehen im Wagen beobachtete.

Sie hatte den Mann nicht bemerkt, sie hatte sich sinken lassen, ihr ganzes Gewicht in dieses Sinken gelegt, es war lächerlich, was sie hier taten, dieses Gerangel im Auto, das schleifende Geräusch ihrer Haare an der hellgrauen Wagendecke, der stickige Geruch, aber im nächsten Augenblick würde sie all das vergessen und nichts mehr davon wahrnehmen, sie küsste ihn, da er seinen Kopf zur Seite drehte, auf die Wange, und er schrie, du Sau, du elendes Schwein!, er stieß sie von sich, in ihrem Kreuz schmerzte das Lenkrad, ihr Kopf schlug gegen den Rückspiegel, das Knie sackte in den freien Raum neben der Gangschaltung und sie legte eine Hand schützend vor ihr Gesicht.

Er schrie immer noch. Er hatte das Gefühl, nun immer schreien zu müssen, immer dieselben Flüche, du Schwein, du Mistkerl. Der helle Trenchcoat des Mannes war zwischen zwei Kiefern verschwunden, er konnte nicht weit sein, versteckte er sich hinter einem der umherliegenden Felsbrocken, hinter einem Baum?, er rief, komm raus!, er schrie, ich finde dich!, er war, das fühlte er einen Moment lang ganz deutlich, außer sich, wirklich außer sich und allein, er rannte weiter, und dann sah er den Mann, der, einige Meter vor ihm, hinter einem Baumstamm hervorsprang und, ungelenk das linke Bein hinter sich herziehend, losrannte. Jetzt war es ein Leichtes, ihn einzuholen, ihn am Mantel zu packen und zu Fall zu bringen, sich auf ihn zu setzen, die Knie auf die Oberarme zu pressen. So hatte er, erinnerte er sich, als Kind auf seinen Brüdern gethront, wenn er sich mit ihnen prügelte. Das Gesicht des Mannes verzog sich in Erwartung des ersten Schlags, ein heiserer Schrei, dann Wimmern, der Kopf fiel von rechts nach links, von links nach rechts, Blut floss von den Lippen in die grauen, gekräuselten Haare und in die Ohren, er schlug, bis das Wimmern endete, dann stand er auf, klopfte sich den Schmutz von der Hose und machte sich auf den Weg zum Auto.

Du blutest, sagte sie, du blutest, du Armer, sie nahm seine Hand und wischte das Blut ab, sie machte die Deckenlampe im Auto an, wo, fragte sie, wo ist die Wunde?, aber er blutete nicht, er entzog ihr seine Hand und sagte, lass das. Der Schlüssel steckte, er drehte ihn um, der Motor sprang an, aber er nahm den Fuß nicht von der Kupplung, er wollte ihr gerne alles erzählen, aber was, fragte er sich, was genau? Wer war das, fragte sie, hat er uns zugeschaut?, sie schüttelte sich bei der Vorstellung, und er sagte, ein Penner, ein Dreckspenner halt, und ja, er hat zugeschaut. Die Blätter der Bäume vor ihnen sahen im staubigen Lichtkegel gelb aus, hinter den Bäumen leuchtete unwirklich die untergehende Sonne. Ich habe ihn zusammengeschlagen, weißt du, jetzt liegt er da irgendwo, ich weiß nicht mal, ob er noch lebt. Er lachte, als er ihr erschrockenes Gesicht sah. Jetzt guck nicht so, wird schon nichts Schlimmes passiert sein, er sagte, kleine Krankenschwester, willst du ihm etwa helfen gehen, sollen wir ihn suchen? Seine Stimme war spöttisch und zärtlich. Sollen wir rausgehen und den Penner suchen? Er sah sie an und wartete auf ihre Antwort. Sie biss sich auf die Unterlippe und schwieg. Da draußen, dachte sie, liegt einer, und ich, was kann ich tun, einen Notarzt rufen?, ihr Französisch reichte nicht aus, es reichte ja kaum, um ein Essen zu bestellen, er hatte sein Gesicht schon wieder abgewandt und sah in das grüne Licht des Armaturenbretts, er kurbelte das Fenster runter, und wo sollten sie den Arzt hinbestellen, wo waren sie hier?, sie sah hinaus auf den fleckigen Stamm einer Birke, er streckte den Kopf aus dem Fenster, er rief, Hallo, er rief, wir fahren los, es war dumm, er wusste es selbst, der Mann konnte sie nicht hören, er rief, wenn Sie unsere Hilfe brauchen, kommen Sie, wir warten noch zwei Minuten, und auch sie kurbelte ihr Fenster runter und schrie, Hallo, nous sommes dans la voiture rouge!, sie kniete sich auf ihren Sitz, schrie noch einmal, Venez ici!, und als niemand kam, auch dann nicht, als er, nachdem er den Motor abgestellt hatte, ausgestiegen war, um einen lauten, weithin hörbaren Pfiff auszustoßen, einen Pfiff, den er hervorbrachte, indem er sich zwei Finger in den Mund steckte und die Luft zwischen ihnen hindurchpresste, fuhren sie los und warfen keinen Blick zurück.

Nichtschwimmer

Es klingelt. Einmal lang, gleich darauf kurz. Durch den Spion kann sie sein Gesicht sehen. Sie wird ihm nicht öffnen. Er beugt sich nach vorne, sein Kopf berührt die Tür, er sagt: Mach auf. Er spricht nicht laut, er muss wissen, wie nah sie ist. Er sagt: Sita, sei so lieb. Aber sie lehnt ihren Kopf gegen die Tür. Wenn sie die Tür auch nur einen Spalt öffnet, wird er seinen Fuß zwischen Tür und Türrahmen stellen. Er ist aus London angereist, um das zu tun. Er hat ihr nicht gesagt, dass er kommen würde, aber sie hat es gewusst und darauf gewartet, dass er klingelt und sie ihre Köpfe gegen die Tür lehnen, jeder auf seiner Seite. Sie hat zu Boris gesagt, sie werde nicht öffnen. Sie hat gesagt: Ich lasse ihn nicht rein. Boris hat sie verständnislos angesehen: Er ist doch dein Bruder.

Simon, hatte er sich gemeldet. Kein Nachname, als riefen am Abend nur Freunde an. Oder Freundinnen. Sie sagte, Sita hier, und dann sagten sie beide für einige Sekunden nichts, und sie konnte ihn atmen hören. Das ist eine Überraschung, sagte er dann, er rief es fast. Er war aufgeregt, nicht ängstlich. Sie hatte keinen Akzent feststellen können. Sie mochte seine Stimme.

Simon sagte: Wenn du kommst, zeige ich dir die Stadt. Er fragte: Wie lange kannst du bleiben? Nur zwei Tage. Sie habe viel zu tun. Aber zwei ganze Tage. Er sagte: Immerhin. Er lachte. Das nächste Mal dann länger, sagte er.

Zwei Briefe hatte jeder von ihnen vorher geschrieben. Liebe Sita. Lieber Simon. Sie hatte gelacht, als sie seinen Namen las. Si-mon, Simone. Nicht sehr einfallsreich, hatte sie gedacht. Sie hatte geschrieben: Du hast recht, wir sollten uns kennen lernen. Ich habe nie einen Bruder gehabt. Sie hatte geschrieben: Ich habe eine Schwester. Sie ist älter als ich und sehr schön. Wir sehen uns nicht ähnlich. Ich habe keine Hobbys, hatte sie geschrieben, ist das nicht furchtbar? Ich gehe am Morgen zur Arbeit und am Abend wieder nach Hause. Aber ich bin zufrieden.

Er hatte geschrieben, London sei aufregend. Er lebe gerne dort. Seine Freundin arbeite wie er an der Universität. In der Bibliothek habe er sie zum ersten Mal gesehen. Sie habe in Büchern aus dem Archiv geblättert, danach seien ihre Hände staubig gewesen. Am Telefon sagte er: Außer dir habe ich keine Geschwister.

Das Licht im Hausflur geht aus. Sie hört, wie er es wieder anknipst. Sie beobachtet, wie sich sein Gesicht der Tür nähert. Jetzt liegen sie Wange an Wange, fünf Zentimeter Holz zwischen ihnen. Wie zwei Magneten, denkt sie. Sie flüstert seinen Namen.

Mit der U-Bahn fuhr sie vom Flughafen zum Picadilly Circus, stieg, den Straßenplan in der Hand, einmal um, Richtung Baker Street. Durch die unterirdischen Gänge hasten, das richtige Gleis suchen. Im Gehen nach den Schildern Ausschau halten. Sich einfügen in den Strom der anderen, die sicher und ohne einander zu berühren durch die Gewölbe laufen. Keiner sollte merken, dass sie Touristin war. Ihre Reisetasche war klein, sie hatte nicht viel eingepackt. Ein Nachthemd, Waschsachen, ein Kleid, Unterwäsche, eine Mütze. Sie würde nicht lange bleiben. Soll ich wirklich kommen?, hatte sie ihn am Telefon gefragt, und er hatte gesagt: Warum denn nicht? Sie hatte keine Antwort gewusst. Vielleicht war sie auch deshalb gekommen.

Das Hotel war schmal und vierstöckig, ein roter Klinkerbau mit weißlackierter Tür. Auf zwei Säulen ein spitzwinkliges Vordach. In der Mitte der Eingangshalle hing ein Kronleuchter, der zu groß war für den Raum. Rote Samtsessel um ein Tischchen aus

Glas und der Blick in einen dämmrigen Garten, aber kein Mensch da. An der Wand neben der Rezeption war eine Klingel, wie an einer Wohnung. Sie wartete. Beugte sich über den Tresen und rief: Hello! Dann drückte sie auf den Klingelknopf. Ein junger Mann trat durch den Vorhang hinter dem Tresen. Er entschuldigte sich, the dog, sagte er und zeigte auf einen kleinen weißen Hund mit braunen Flecken, der hinter ihm durch den Vorhang gekommen war und sich nun auf eine Decke in der Ecke der Rezeption legte. Sita lachte: No problem. Der Hund hatte seinen Kopf auf die Vorderpfoten gelegt und betrachtete Sita gleichgültig, während sie das Anmeldeformular unterschrieb und den Schlüssel entgegennahm.

Ihr Zimmer war klein und hoch, zahllose Blumen auf der Tapete, im Bad ein Körbchen, Badeschaum darin, eine Duschhaube, Seife und Nähzeug, daneben eine Schale mit hellgelben Lockenwicklern. Sita zog sich aus und schaltete den Fernseher ein. Dann ging sie duschen. Als sie aus dem Bad kam, war vor dem Fenster das Licht erloschen. Als habe jemand einen Schalter umgelegt.

Simon klopft leise gegen die Tür. Er sagt: Ich setze mich jetzt hin. Ich habe Zeit. Sita schüttelt den Kopf. Hau ab! Diesmal hat er sie gehört. Durch den Spion kann sie sehen, wie er der Tür zulächelt. Das helle Haar ist länger geworden, sie erinnert sich, wie es roch. Er sagt: Ich wusste, dass du da bist. Dann setzt er sich auf die Treppe rechts der Tür.

755 Fulham Road. Die Hausnummer ist der Name des Lokals, hatte er gesagt. Groß und silbern standen die Ziffern über dem Eingang, von einer Neonröhre angestrahlt. Sie nannte dem Kellner den Namen, der Tisch stand nahe der Bar. Eine runde Holzplatte, gelbe Blumen, eine Kerze, zwei Gedecke. Sie setzte sich mit dem Gesicht zur Tür.

Sie erkannte ihn sofort.

Er kam in das Restaurant. Den dunklen Mantel offen, die

Schöße wie die angelegten Schwingen eines Vogels. Einen schwarzen Schal um den Hals. Er schob sich die Haare aus der Stirn und sah sich suchend um. Ein Kellner eilte auf ihn zu, klein, mit kurzen braunen Haaren. Die weiße Schürze so lang, dass er sie in der Taille hatte umschlagen müssen. Er legte den Kopf schräg und ließ sich den Namen nennen. Dann sahen beide in ihre Richtung, Simon nickte dem Kellner zu und lächelte, unbestimmt, an alle gerichtet. Es hatte zu regnen begonnen, vor dem Fenster bemerkte sie einen roten Schirm. Er hielt ihr die Hand hin, und sie nahm sie. So helle Haare, dachte sie, wie kann denn das sein.

Im Hausflur hört sie Schritte. Wenn Boris jetzt käme, denkt sie, würde er sich über Simon wundern. Würde ihn fragen, zu wem er wolle, und wenn Simon dann sagte, zu Sita, würde Boris ihn hereinbitten. Sie käme ihnen schon entgegen. Würde behaupten, sie habe geschlafen. Und sich noch während des Sprechens eine Hand vor den Mund legen und gähnen. Simon würde seine Tasche abstellen. Sie umarmen. Sie würden lachen. Zusammen essen. Boris würde von einem zum anderen schauen, und in der Nacht, wenn alle schliefen, würde sie an Simons Bett schleichen, ihn betrachten, seine Decke bis zum Hals hochziehen. Oder vor der Tür zum Gästezimmer innehalten. Nägel beißen. Die Arme vor der Brust verschränken. Vielleicht kehrtmachen.

Nach dem Essen rauchte er eine Zigarette, dann legte er seine Hände vor sich auf den Tisch, verschränkte sie ineinander. Finger wie ihre. Lang und schmal mit breiten, fast quadratischen Nägeln. Sie sah an ihm vorbei in den Raum. Ein Mann, eine Frau am Nachbartisch, die sich gegenseitig von ihrem Essen anboten. Der Kellner, der mit hoch erhobenem Kopf über die Gäste hinweg zum Eingang schaute. Schwere Samtvorhänge zu beiden Seiten des Fensters, altmodisch wie Theaterrequisiten. Sie fragte: Willst du meine Familie sehen? Zwei Fotos. Vater, Mutter. Die Schwester.

Und sie. Klein, dünn, die Ohren ein wenig abstehend. Sie sagte: Ich war ein Fliegengewicht. Die blonden Haare der Schwester, die blasse Haut, sie wirkt daneben wie eine Zigeunerin. Du siehst deinem Vater ähnlich, sagte er. Sie lachte. Sie würden das oft gesagt bekommen und sich dann zuzwinkern und fragen: Warum auch nicht? Wem sehe ich nicht alles ähnlich, sagte sie. Mir nicht, sagte er. Sie nickte. Aber die Hände. Und die Nase vielleicht, diese stumpfe, etwas zu breite Nase, die an die eines gutmütigen Tieres erinnert. Glücklich sei sie gewesen, sagte sie. Unbeschwert.

Und er. Bei den Großeltern aufgewachsen, als Ersatz für den Sohn. Der sich gefreut hatte, Vater zu werden, und es dann nicht mehr erlebte. Nicht unglücklich sei er gewesen, aber viel allein, nachdem die Großmutter gestorben war. Da war er zwölf. Und der Großvater allmählich vergesslich. Erzählte ihm die gleichen Geschichten immer wieder, Geschichten vom Hunger, von der Kälte, wie sie Kohlen gestohlen hatten, mit kirchlicher Erlaubnis. Schickte ihn Medikamente holen, die er schon hatte, und er steckte das Geld ein und kaufte sich Süßigkeiten in der Bäckerei. Lachte manchmal über den Großvater, machte ihn nach, wenn er mit Freunden am Bahnhof stand und auf den Bus in die Stadt wartete. Wie er sich schneuzte, sich weit über den Tisch beugte beim Essen, wie er die Brille suchte, die ihm an einem Band um den Hals hing. Mit vierzehn dann wurde Simon ein Vormund gestellt. Meine Großeltern waren meine Eltern, sagte er.

Sie sitzt auf dem Boden, lehnt sich gegen die Tür. Sie stellt sich vor, wie er an der Wand sitzt, manchmal seine Position ändert, weil ihm ein Bein einschläft. Wie er seinen Kopf zwischen die Knie legt und den Linoleumboden betrachtet. Sie denkt: Endlich ist er da. Aber sie wird nicht öffnen.

Die Rechnung war gekommen, er hatte darauf bestanden, sie einzuladen, und sie verließen das Restaurant. Weil sie keinen

Schirm hatten, liefen sie hintereinander, dicht an den Hauswänden. Manchmal blieb sie stehen. Versuchte, in ein Fenster hineinzusehen. Stellte sich vor, hier zu leben. Als sie eine Straße überqueren wollte, griff er nach ihrer Hand und zog sie zurück auf den Bürgersteig. Sie hatte in die falsche Richtung geschaut. Das Auto fuhr so dicht an ihnen vorbei, dass ihre Hosenbeine nass wurden.

Erst als sie auf der anderen Straßenseite waren, ließ er ihre Hand los. Sie setzte eine ernste Miene auf: Jetzt gehöre sie ihm. Er schaute sie fragend an. Weil du mir das Leben gerettet hast, sagte sie. Er lachte, legte ihr einen Arm um die Schultern. Bevor er sie loslassen konnte, fasste sie nach seiner Hand, die auf ihrem Oberarm lag. Verschränkte ihre Finger mit seinen. Dachte kurz: Was tu ich da.

Er musste sich zwischen den Leuten hindurchdrängen, um zu ihrem Tisch zu kommen, in jeder Hand ein dunkles Bier. Sie stießen die Gläser gegeneinander. Er sei neunzehn gewesen, als sie plötzlich angerufen habe, seine Mutter. Ihre. Er lachte, als sie ihn unterbrach: Sag nicht Mutter. Der Ausdruck sei bereits vergeben. Wie soll ich sie denn sonst nennen?, fragte er. Bei ihrem Namen, sagte sie. Also: Grit.

Er habe gesagt: Ich freue mich, deine Stimme zu hören. Erstaunlich ruhig. Er habe die Musik leiser gestellt und sich einen Stuhl ans Telefon gerückt, die Füße gegen die Kante des niedrigen Tisches gestemmt, eine Zigarette angezündet. Grit habe ihn treffen wollen, sie komme nach Berlin. Auf dem Alexanderplatz werde sie stehen, Freitag, um halb sechs, vor der Weltzeituhr. Sie werde sich eine Zeitung unter den rechten Arm klemmen, die *Washington Post*. Er lachte. Kapriziös sei sie gewesen. Eitel. Mit jedem Passanten habe sie Blickkontakt gesucht. Und ihn umarmt, als sie ihn entdeckte. Den Tränen nahe. Aber nett. Sie sieht aus wie du, sagte er. Sita nickte. Mag sein. Irgendwann wolle auch sie sie treffen, aber es eile nicht. Wütend sei sie nicht, sogar dankbar, weil doch alles gut gekommen sei. Nur nicht neugierig genug. Im Hintergrund hörte

sie einen Betrunkenen singen, God save our gracious Queen, long
live our noble Queen. Andere fielen ein. Simon lachte. Ein Fußball-
spiel, sie haben gewonnen, sagte er, deshalb.

Simon, sagt sie. Und lauter: Simon. Er fragt: Machst du jetzt
auf? Sie kann hören, wie er lächelt. Sie sagt: Nein. Im Hausflur ist
es dunkel. Und wahrscheinlich kalt, denkt sie. Sie legt ihren Mund
an den winzigen Spalt zwischen Tür und Rahmen. Sie ruft: Du solltest wirklich besser gehen! Ja, sagt er, aber ich bleibe. Frierst du
nicht?, fragt sie. Doch, sagt er. Seine Stimme ist lauter geworden.
Wahrscheinlich hält auch er seinen Mund an den Türrahmen.

Sita. Die ersten zwei Buchstaben vom Vornamen und die ersten beiden vom Nachnamen. Schon in der Grundschule habe man
sie so genannt, sagte sie, wer damit angefangen habe, wisse sie
nicht mehr, vielleicht habe sie selbst sich den Namen gegeben. Ein
Hundename, sagte sie. Er lachte. Es klinge doch schön. Sita, Sita,
Sita. Sie sagte: Lass das mal, ja. Er stand auf und ging zum Tresen.
Sie sah sich im Pub um, entdeckte ihr Gesicht in einem der vielen
geschliffenen Wandspiegel und erschrak. Er würde alles darin lesen
können. Mit einem Glas Wein und einem Pint kam er zurück,
stellte das Weinglas vor sie hin und sagte: Nun kennen wir uns also.
Was man so kennen nennt, sagte sie. Die Augen, die Haarfarbe, die
Größe, das ja. Er trank einen Schluck Bier, stellte das Glas sorgsam
in die Mitte des Bierdeckels, dann schaute er sie an. Hast du etwa
Angst?, fragte er. Sie schnaubte. Zog die Augenbrauen nach oben.
Angst? Wenn er jetzt näher käme, dachte sie. Sich vorbeugte, seine
Hände auf ihre Arme legte, seinen Mund an ihren Hals. Er lehnte
sich zurück, zündete sich eine Zigarette an. Den Kopf im Nacken
blies er den Rauch in kleinen Kreisen in die Luft.

Ein weißer Zettel wird unter der Tür hindurchgeschoben,
eine Quittung, er hat einen Pullover gekauft, bei *Macy's*, thank you

for your buy, steht am oberen Rand des Kassenbons. Sita dreht den Zettel um. Dieser Hausflur ist der beste Ort seit Wochen.

Als die Männer am Tresen erneut zu singen begannen, schlug er vor zu gehen. Er wolle ihr etwas zeigen. Sie zog ihre Jacke an, hängte sich die Tasche um und folgte ihm. Im Taxi streckte sie beide Beine von sich. So viel Platz, sagte sie. Dann sank sie zurück in die Polster, legte den Kopf nach hinten, betrachtete die hohe, graue Decke des Autos. Ihr Kopf an seiner Schulter, sein Mund warm in ihren Haaren.

Auf der Westminster Bridge blieben sie stehen. Sita stieg hinter Simon aus dem Wagen. Er zeigte auf die Gebäude, die in der Dunkelheit fast versanken. National Theatre, sagte er, Festival Hall. Falls sie es wünsche, werde er ihr die Stadt zeigen, am nächsten Tag. Sie sagte: Ja. Nur, wenn sie es wirklich wolle, sagte er. Sie nickte. Wollte neben ihm sitzen, liegen. Ihn anfassen. Hatte Angst, nicht genug zu bekommen. Nie. Sie lehnte sich über die Brüstung, sah auf den Fluss, vereinzelte Lichter auf den Wellen. Er dicht neben ihr. Vielleicht, dachte sie, überlegt er auch gerade, wie es wäre, sich hinunterzustürzen.

Es ist spät, sagte sie, als sie an ihrem Hotel ankamen. Er hatte das Taxi bezahlt, war mit ihr bis zum Eingang gegangen, sie stand zwei Stufen über ihm. Um zehn Uhr würde das Zimmermädchen klopfen, noch fünf Stunden bis dahin, sie schüttelte sich. Schlaf bei mir, sagte er. Im Dunkeln sah sein Gesicht jung aus, fast kindlich. Sie würde bei ihm schlafen, sie waren Geschwister. Sie sagte: Warum nicht. Er drehte sich um, winkte dem Taxifahrer, der gerade losfahren wollte, nannte ihm seine Adresse. Sita sagte lachend: Was der jetzt wohl denkt. Simon grinste sie an. Little sister, sagte er. Der Taxifahrer drehte an den Knöpfen des Autoradios, bis er Musik gefunden hatte, die er mochte.

Sie holt einen Stift, schreibt auf den Zettel unter seine Notiz: Ich wäre wirklich froh, wenn du gehen würdest. Sie schiebt den Zettel zurück. Nun muss er zur Tür kommen, den Zettel nehmen, ihn lesen. Er sagt: Das glaube ich nicht. Sie antwortet nicht.

Er legte ein Handtuch für sie auf den Wannenrand. Dann zog er die Couch im Wohnzimmer aus, hob Kleidungsstücke vom Boden auf, räumte eine leere Flasche und einen Aschenbecher in die Küche. Entschuldigte sich für die Unordnung. Neben dem hohen Bücherregal hing ein Foto, mit einer Reißzwecke an der Wand befestigt. Das Gesicht einer jungen Frau mit braunen, langen Haaren. Im Hintergrund viel Grün, ein See in der rechten oberen Ecke. Meine Freundin, sagte er zu Sita, die vor dem Bild stehen geblieben war. Er hatte eine Wolldecke geholt, die er nun bezog. Meinst du, die reicht für dich? Sie nickte. Setzte sich auf das ausgezogene Sofa. Und er, ihr gegenüber, auf eine dunkelblaue Chaiselongue. Sah sie an, lachte. Sie betrachtete seine Schuhe, schwarzes Leder, eine dünne Sohle. Sind die nicht zu kalt für den Winter? Als er sagte, geht so, vielleicht ein wenig, fiel sie ihm ins Wort: Ich habe einen Freund. Sie sagte: Wir sind sehr glücklich. Er nickte. Wie wäre es mit einem Wein? Sie schüttelte den Kopf, ich sollte schlafen.

Er ließ sie zuerst ins Badezimmer gehen. Vor dem Waschbecken stand sie und sah sich ihr Gesicht im Spiegel an. Die kurzen Haare, kürzer als seine, ihr Profil. Die Zahnlücke. Sie lächelte sich zu. Spitzte die Lippen und sagte geziert: Ich bin müde. Schlaf gut. Legte den Kopf schräg. Eine Hand in den Nacken. Sie nahm einen Klecks Zahnpasta auf den rechten Zeigefinger und fuhr damit die Zähne entlang. In die hohlen Hände ließ sie das Wasser fließen und tauchte ihr Gesicht hinein. Als sie das Bad verließ, kam er ihr entgegen, ein T-Shirt in der Hand. Du brauchst doch sicher ein Nachthemd, sagte er.

Er würde auf sie aufpassen können, sagte er. Von der Galerie herab winkte er ihr zu. Wenn du dich fürchtest, komm ruhig zu mir! Sie nickte. Stellte sich bald schlafend.

Als es draußen hell wurde, stand sie auf. Die Treppe nach oben war eng, sie musste sich am Geländer festhalten. Im fahlen Licht sah sie seine Schuhe auf dem Boden liegen, daneben einen CD-Spieler, einen Karton, zwei Bücher, ein helles Hemd, das sie sich kurz vors Gesicht hielt. Sie würde ihn ein wenig anschauen, dachte sie. Dann wieder hinuntergehen. Er lag im Bett, hatte die Arme im Nacken verschränkt. Sah sie an. Lächelte. Fürchtest du dich?, fragte er. Ja, sagte sie, sehr.

Blickt sie durch den Spion, kann sie nichts sehen. Sie ruft seinen Namen. Er sagt: Ich bin da. Er werde nicht gehen. Irgendwann, sagt er, müsse sie die Wohnung ja mal verlassen. Und dann?, fragt sie.

Dass sie kriminell seien, dachte sie. Pervers. Dass es nicht aufhören solle. Nicht falsch sein könne. Er fuhr ihr mit der Zunge über den Rücken, das Kreuz hinab. Leckte ihren Nabel. Die Beine. Ferse, Rist. Streichelte sie mit seinen Fingern, ihren Fingern. Vielleicht, dass sie kurz an den anderen dachte. Den sie betrog. Aber war es das? Doch eher mit sich selbst schlafen. Sich in sich selbst verschlingen. Hermaphrodit sein, ein glücklicher. Heimkehr, Einkehr. Als sei man fort gewesen. Und nun zurück, im engen Raum.

Sie ließen das Telefon klingeln, übertönten die englischen Stimmen auf dem Anrufbeantworter. Als er am frühen Abend Essen bestellte, legte sie ihren Kopf auf seine Brust. Horchte den Worten nach. Die Glückskekse verhießen Erfolg bei ausdauerndem Fleiß und mahnten zur Genügsamkeit. Sie aß eilig. Hob sich mit den Holzstäbchen Garben von Glasnudeln in den Mund. Legte, kaum war sie satt, die Stäbchen wieder fort, um die Hände frei zu haben. Wenn sie ihn anfasste und die Augen dabei schloss, spürte sie die Ähnlichkeiten. Die Länge des Halses. Die weit hervorstehenden Kniescheiben, die im Winter empfindlich rot würden. Die über der Nasenwurzel zusammenwachsenden Brauen. Die länglichen Zehen mit den flachen Nägeln. Er sagte: Ich liebe dich. Er hätte es nicht sagen müssen.

Sie geht auf die Toilette, steht vor dem Spiegel. Wenn sie sich anschaut, sieht sie ihn. Sie hat Hunger und Durst. Es wird Zeit, denkt sie, und dann denkt sie: Zeit wofür? Er sitzt noch immer auf der Treppe. Den Oberkörper gegen die Wand gelehnt, ist er eingeschlafen. Als sie das Licht im Hausflur einschaltet, wacht er auf. Fährt sich übers Gesicht. Sie nickt ihm zu. Er steht auf und folgt ihr in die Wohnung.

Er erzählte ihr von Zeus und Hera. Von der List, die Zeus anwandte, um die Schwester zu gewinnen. Für dich, sagte er, hätte ich mich auch in einen Kuckuck verwandelt. Mich vor dem Unwetter zu dir geflüchtet. Und sie, den Vogel in der Hand, ein einziges verschrecktes Pochen, dem sie nachgeben müsste. Aber vielleicht habe sie ihn ja schon bei der Geburt erwählt? Ihn verehrt für die zehn Minuten Vorsprung. Er küsste ihren Bauch. Ob sie ihn dafür liebe? Bloß zehn Minuten?, fragte sie. Er nickte. So sei es ihm erzählt worden, so stehe es in den Papieren. Zehn Minuten, sagte sie. Sie legte sich auf den Bauch. Das Gesicht im Kissen, weinte sie. Er streichelte ihren Rücken.

Am Morgen fuhr er sie zum Hotel. Seine Hand auf ihrem Bein. Hinter der Rezeption stand ein Mann mit grauen Haaren. Sie beglich die Rechnung für zwei Nächte. Der kleine Hund lag auf seiner Decke und blickte sie unverwandt an. Ob sie ihren Aufenthalt genossen habe, fragte der Mann. Sie nickte. Auf der Fahrt zum Flughafen schwiegen sie und hörten Radio. Ein Gewinnspiel zum Valentinstag. Verlost wurden zwei Nächte für zwei Personen in einem Luxushotel im Norden Schottlands. Karen aus Bristol gewann. Sie schrie auf vor Freude. Auf den großen Straßen war der Verkehr dicht, sie kamen nur langsam voran. Sita betrachtete die Menschen, die an den Ampeln warteten. Die roten Busse, die schaukelnd neben ihnen fuhren. Sie schälte eine Mandarine. Steckte Simon Spalte für Spalte in den Mund, während er auf die Straße vor sich schaute. Einmal biss er sie leicht in den Finger. Das letzte Stück nahm sie sich selbst und trank dazu einen Schluck aus der Colaflasche, die vor dem Beifahrersitz auf dem Boden lag. Ließ die Geschmäcker sich mischen. Dann öffnete sie den Aschenbecher und drückte die Mandarinenschale hinein.

Sie fanden sofort den Schalter. Stellten sich in die Reihe und beobachteten die Menschen ringsum. Über ein Kind, das mitten im Laufen anhielt und sich auf den Boden setzte, bockig und zu müde, um weiterzugehen, mussten sie beide lachen. Sie schaute auf die Uhr. Kurz vor zwölf, in vierzig Minuten würde ihr Flugzeug starten. Vor der Passkontrolle blieben sie stehen. Also, sagte Simon. Sie umarmten sich.

Er sagt: Du hast doch gewusst, dass ich kommen würde. Sie sitzt am Tisch. Sieht die Magneten an der Kühlschranktür an, die Flecken auf dem Herd. Hast du es dir nicht gewünscht? Sie legt den Kopf auf die Arme.

Auf dem Flug wurde ihr schlecht. Sie wolle kein Sandwich, sagte sie zur Stewardess. Keinen Saft. Sie blickte aus dem Fenster, auf die grünen und braunen Flecken unter ihr. Ihr Sitznachbar hatte eine Tasche auf dem Schoß stehen. Als er mit einer Hand hineingriff, stieß er Sita mit dem Ellbogen an. Sie müsse entschuldigen, sagte er. Er sei nervös; er habe eine Skulptur dabei und sorge sich, dass sie zerbrochen sei. Sie nickte. Er holte einen Karton aus der Tasche. Im Karton Seidenpapier. Darunter eine kleine Figur aus hellem Porzellan. Ein Junge, den linken Fuß auf dem rechten Bein, der versucht, einen Dorn aus dem Fuß zu ziehen. Mit einem Finger strich der Mann dem Jungen über den Kopf. Tippte gegen

28

das angewinkelte Bein. Sobald Sita die Augen schloss, sah sie Simon vor sich. Dann musste sie flach atmen, um sich zu beruhigen.

Am Münchner Flughafen wartete Boris auf sie. Ein Schild, auf das er ihren Namen geschrieben hatte, um den Hals. Eine rote Schirmmütze auf dem Kopf. Als er sie sah, setzte er die unbeteiligte Miene eines Hotelpagen auf. Sie musste lachen. Küsste ihn. Sie sei froh, wieder bei ihm zu sein, sagte sie. Es war ihr ernst damit. Während sie im Bus nach Hause fuhren, beschrieb sie ihren Bruder. Er sei nett, sagte sie. Aber vielleicht sei es besser, den Kontakt abzubrechen. Wenn er kommt, lasse ich ihn nicht rein, sagte sie beim Abendessen. Boris sah sie verwundert an: Er ist doch dein Bruder. Sie zuckte mit den Schultern. Was heißt das schon. Wenn man sich doch erst so spät kennenlernt.

Simon lehnt am Kühlschrank. Seine Augen sind rot, als habe er zu wenig geschlafen. Hast du Hunger?, fragt sie. Er fährt sich durch die Haare und nickt. Sita steht auf, nimmt Butter und Schinken aus dem Kühlschrank. Radieschen. Bestreicht vier Scheiben Schwarzbrot mit Butter, legt Schinken darauf. In die Radieschen schneidet sie mit einem kleinen Messer eine Zackenlinie. Legt die Hälften auf den Teller. Wie kleine Kronen sieht das aus, sagt Simon.

Nur der Tisch zwischen ihnen, über den man die Hand reichen kann, als sei da nichts. Wenigstens ein Fluss. Ein wildes Wasser, vor dem sie zurückscheuen würde, denkt sie. Sieht sich am Beckenrand, die Schwimmflügel an den Armen und in der tauben Luft des Hallenbades vor Aufregung hechelnd. Wie sie sich abwendet von ihrem Vater. Der auf der Stelle schwimmt und ihren Namen ruft. Wenn Simon in das Brot beißt, kann sie die winzige Lücke zwischen seinen Schneidezähnen sehen. Er fragt: Hast du das ernst gemeint? Sie zieht die Augenbrauen hoch. Was du geschrieben hast? Sie nickt. Dass sie nichts denken könne. Nur seinen Namen. Kannst du schwimmen?, fragt sie. Er schüttelt den Kopf. Stell dir vor, sagt er. Wasser macht mir Angst. Als sie lacht, sieht er sie unsicher an. Sie streckt die Hand nach ihm aus.

Coffee Company

Corinna und Mascha kennen sich seit ihrer Kindheit. Corinna sagt manchmal, sie kenne Mascha besser als sich selbst, und Mascha entgegnet dann, dass sie das umgekehrt genauso gut behaupten könne, aber sie tue es lieber nicht. Es ist einfach nicht korrekt, sagt sie. Es hat so etwas Anmaßendes an sich. Wenn es doch stimmt, beharrt Corinna. Zum Beispiel, wenn wir streiten: Da weiß ich oft ganz genau, was du als nächstes sagen wirst.

Aber hieße das nicht, dass man sich nicht verändert, fragt sich Mascha. Dass man einfach die Gleiche bleibt? Dass man an der Stelle steht, an der man immer schon stand?

Eine Kleinstadt im Bermudadreieck der größeren Städte: fünfzig Kilometer zu jeder von ihnen, dazwischen Dörfer, Felder, Brachland. Ich bin hier bei der Arbeit, nicht auf der Flucht, steht auf dem Schild, das an einer Metallkette über der Kasse hängt. Es war nicht Mascha, die das Schild aufgehängt hat, sondern Harald, ein dicker Mann, der seine spärlichen grauen Haare immer unter der Kappe mit dem Firmenlogo versteckt. Aber sie findet den Spruch richtig. Ungeduldige Kunden mag sie nicht. Ein guter Kaffee braucht seine Zeit.

Vier Tage die Woche arbeitet Mascha in dem Café. Löffelt den gewünschten Kaffee (denn es gibt hier Sorten aus aller Welt, außerdem verschiedene Aromen: Haselnuss, Vanille, Amaretto) in den Metallnapf der Maschine. Schneidet die Karotten-, Schokoladen- und Blaubeerkuchen auf. Belegt die Bagels mit Lachs und Schinken. Stellt am Abend die Stühle hoch. Wischt den Boden, sortiert die Zeitungen. Immer trägt sie eine grüne Schürze mit dem

Anstecker in Form einer Kaffeebohne, auf dem ihr Name steht und der des Ladens: Coffee Company. An manchen Tagen betrachtet sie das leere Café und wundert sich, dass sie den Schlüssel dazu hat. Vor acht Jahren, als das Café eröffnet wurde, gab es einen roten Läufer, der vom Eingang bis zur Theke führte, ein schöner Kontrast zum Parkett und zu den dunklen Möbeln, fand sie. Jetzt gibt es den Läufer nicht mehr. Wenn es regnet, sind Fußstapfen auf dem Boden zu sehen, erst feucht glänzend, später in einem staubigen Braun. Mascha regt sich längst nicht mehr darüber auf. Sie hat damit aufgehört, nachdem Harald ihr einmal gesagt hat, dass ihre Ordnungsliebe schon neurotisch sei.

Die meisten Gäste in der Coffee Company sind Stammkunden. Mascha kennt ihre Vorlieben, oft reicht ein Nicken und sie bereitet den Indischen Kaffee mit einem Schuss Vanille, den Mandel-Cappuccino, den doppelten Espresso zu. Sie würde nicht sagen, dass sie zu einem ihrer Gäste eine Freundschaft unterhält, aber sie würde zugeben, dass sie die meisten von ihnen mag und dass sie ihr vertraut sind.

Wie Susanne. Sie ist so alt wie Mascha, aber bereits Mutter von zwei halbwüchsigen Jungen, die am Wochenende mit ihren Freunden durch die Straßen ziehen und Mülltonnen umwerfen; jeder weiß, dass sie das tun, aber nur der Pfarrer hat Susanne einmal darauf angesprochen. Sie hat Mascha davon erzählt, sie hat sie gefragt, ob sie glaube, was der Pfarrer behauptet, und Mascha hat gesagt, ja, aber dass sie sicher sei, die ganze Sache wachse sich aus. Früher oder später. Aber warum tun sie das denn?, hat Susanne gefragt und dabei so hilflos ausgesehen, dass sie Mascha leid tat. Sie haben sich darauf geeinigt, dass es etwas Ähnliches sein muss wie bei den Babys, die alles fallen lassen: Dass sie die Wirkung ihres Handelns erleben wollen.

Charlotte kommt in ihrer Mittagspause ins Café. Sie arbeitet in einer Anwaltskanzlei in einem der Nachbarhäuser. Sie ist nicht mehr jung, sie hat blau geäderte, ein wenig welke Hände, Haare wie verbrannte Kohlen, helle, schöne Augen, deren Blau ganz milchig wird, wenn sie Kopfschmerzen hat. Sie lebt erst seit einigen Jahren hier; wo sie vorher war, weiß niemand so genau. Wenn man sie fragt, sagt sie, ein Städtchen im Norden, zwischen Itzehoe und dem Meer. Aber sie klingt nicht nordisch. Sie hat nie geheiratet. Manche meinen, sie müsse ein geheimes Leben neben ihrem offensichtlichen führen. Irgendeine Liebschaft haben. Zu einem verheirateten Mann. Oder zu einer Frau. Mascha hat ihr nie von den Gerüchten erzählt. Sie kann sich vorstellen, wie Charlotte reagieren würde: Ihr lautes, derbes Lachen, das nicht zu ihrer Erscheinung passt.

Samstagvormittags kommt Frank mit seiner kleinen Tochter. Sonja ist sechs und störrisch wie ein Maulesel. Sie will jedes Mal etwas Neues probieren, sie besteht darauf, auch wenn Frank ihr sagt, sie werde es nicht mögen. Doch, werde ich, beharrt sie und schüttelt die weißblonden Haare aus der Stirn. Frank ist groß und schlank, seit ein, zwei Jahren bemerkt Mascha, dass er fülliger wird, nicht dick, nur werden die Konturen weicher. Er hat das, was Corinna ein Dutzendgesicht nennen würde, eines, das seltsam vertraut ist, weil es über keine besonderen Merkmale verfügt. Mascha und er sind auf dieselbe Schule gegangen. Er erinnert sich daran, wie sie mit ihren Freundinnen in einer Ecke des Schulhofs auf dem Boden gesessen und geraucht hat – ein Kreis, den er nie zu durchbrechen wagte, auch wenn er es, so gesteht er ihr einmal, gerne getan hätte. Was?, fragt sie irritiert. Er lächelt matt und sagt, dich angesprochen. Sosehr Mascha auch nachdenkt: Sie kann sich nicht an ihn erinnern. Hellblond wie Sonja, sagst du? (Jetzt sind seine Haare dunkel, der Haaransatz zurückgegangen.) Macht nichts, unterbricht er ihr Nachdenken, dafür kennst du mich jetzt.

Jeden Tag, kurz nach fünf, kommt Joe. Er heißt nicht wirklich Joe, aber jeder nennt ihn so; er selbst gibt sich unterschiedliche Namen, je nachdem, wer er gerade ist. Er trägt ein Toupet in einer anderen Haarfarbe als die Haare, die ihm im Nacken und über den Ohren wachsen. Er liebt es, sich selbst zu interviewen; während er vor seinem Kaffee sitzt, erzählt er einem unsichtbaren Gegenüber von seinen Konzerten, seinem letzten Film, manchmal von seinem Leben als Karatemeister in Japan. Um die linke Hand hat er ein Taschentuch gebunden. Mit diesem Taschentuch geht er auf die Frauen zu und fordert sie auf, es neu zu binden. Manchmal bittet er dann um einen Kuss, und manchmal gibt ihm eine der Frauen einen auf die Wange. Wenn auf der Kirmes eine Band auftritt, stellt er sich mit seiner Plastikgitarre an den Rand der Bühne und verbeugt sich beim Applaus. Dabei schafft er es, ein so überlegenes Gesicht aufzusetzen, als lasse ihn der Beifall eigentlich kalt.

Dass es den immer noch gibt, wunderte sich Corinna bei ihrem letzten Besuch. Joe hatte über ein Konzert mit den Rolling Stones gesprochen, über Mick, der ihn nach seinem Auftritt (er war die Vorgruppe) zu sich in die Garderobe holen ließ. Verrate mir deinen Trick, hatte Mick gesagt, was ist dein Geheimnis? Joe hatte nur darüber gelacht; er machte vor, wie er gelacht hatte: es klang unecht und ein bisschen unheimlich. Während er den lautlosen Fragen des Interviewers lauschte, nestelte er mit der Gabel an dem Stück Blaubeerkuchen herum, das vor ihm stand. Als er es aufgegessen hatte, ging er zu Corinna, die auf dem Sofa saß und Zeitung las. Nein, Joe, sagte sie, als er vor ihr stand und die Hand ausstreckte, vergiss es, ich will dich nicht verarzten und ganz sicher will ich dich nicht küssen. Zu Mascha sagte sie später, dass sie ihn eklig finde, und Mascha sagte, klar ist er das, aber auch lieb. Kannst du mir erklären, warum jedes Kaff seinen Dorfdeppen hat?, sagte Corinna und setzte ein ratloses Gesicht auf.

Wenn Corinna zu Besuch kommt, ändert sich der Rhythmus von Maschas Leben auf eine Weise, die sie nicht mag. Sie geht später ins Bett und schläft schlechter; sie steht früher auf und kommt trotzdem oft unpünktlich ins Café. Während der Arbeit überlegt sie, wann sie sich treffen und was sie unternehmen könnten.

Nicht, dass das nötig wäre; Corinna verlangt gar nicht, dass Mascha sich umstellt. Wir sehen uns einfach, wenn du Zeit hast, sagt sie, ich kann mich ganz nach dir richten. In der Zwischenzeit besucht sie ihre Schwestern, die beide unweit ihres Elternhauses leben und Kinder haben (zwei Jungen die eine, zwei Mädchen die andere), oder sie fährt mit ihrem Vater in der Gegend herum, lässt sich von ihm die neuen Häuser zeigen, die er oder ein anderer Bauunternehmer gebaut hat, und versucht zu erraten, wie hoch der Wert zu veranschlagen sei und wie lang es gedauert hat, bis die Immobilie verkauft war. Meist liegt sie ungefähr richtig. Sie liebt ihre Arbeit, sie kommt ihr vor wie eine Partnervermittlung der besonderen Art: Sie führt Häuser und Menschen zusammen und achtet darauf, dass sie zusammenpassen. Denn nicht immer wissen die, die ein Haus suchen, was zu ihnen passt. Manche greifen zu hoch, findet Corinna, und manche – aber wenige – zu niedrig. Denen würde das gekaufte Haus schon in ein paar Jahren nicht mehr reichen, und darum versucht sie, sie zu einem anderen Haus zu überreden, ihnen Mut zu machen und ihren Ehrgeiz anzustacheln. Die meisten befolgen ihre Ratschläge.

Sobald sie sich langweilt, geht Corinna in das Café und sieht Mascha beim Arbeiten zu. Sie erzählt ihr von den letzten Wochen und Monaten, vieles kennt Mascha schon, da sie regelmäßig telefonieren, doch manches hat Corinna ihr noch nicht erzählt, vielleicht weil es zu umständlich war, um es am Telefon zu besprechen, oder zu ernst. Aber was soll daran ernst sein, denkt Mascha manchmal, an all diesen Geschichten über die Liebe, wie sie gelingt oder nicht, wie man von ihr überrascht wird und enttäuscht.

Natürlich erinnert sie sich daran, wie es ist, verliebt zu sein: an die Besessenheit, mit der jede Äußerung entziffert, jeder Blick registriert wird, an die Selbstzweifel und die gleichzeitige Euphorie, an den Realitätsverlust, wenn man es genau nimmt. Was sie nicht ernst nehmen kann an Corinnas Geschichten, ist ihr immer gleicher Kreislauf des Begehrens und Vergessens, der sie beliebig werden lässt. Du hast recht, sagt Corinna, es ist eine einzige Vögelei. Sie nimmt ihr Glas und hangelt mit zwei Fingern nach der Zitronenscheibe. Aber so ist das halt, wenn man das Glück sucht. Sie beißt in die Zitronenscheibe und verzieht das Gesicht. Wenigstens suche ich es. Mascha zuckt mit den Schultern, dann wischt sie mit einem Lappen über die Kaffeemaschine und stellt die Tassen im Regal so hin, dass das Logo des Cafés (eine dampfende Kaffeebohne über einer Weltkugel) nach vorne zeigt. Immer, wenn ihr Corinna beim Arbeiten zusieht, hat sie das Gefühl, ihr etwas beweisen zu müssen. Aber was? Dass sie dieses Café mit seinen zwanzig Sitzplätzen alleine führen kann? Dass ihr das reicht?

Mit sechzehn Jahren hat Corinna einmal eine Rechnung aufgestellt. Sie saßen zusammen auf dem betonierten Platz vor dem Supermarkt, beobachteten die Kinder, die beim Italiener Eis kauften, schauten den Autos hinterher, die auf der Hauptstraße fuhren, und Corinna sagte: Sechzehn, minus vier, das heißt zwölf Jahre war ich bisher glücklich, aber seit vier Jahren ist es die reinste Langeweile. Sie zündete eine Zigarette an, zog zweimal daran und gab sie Mascha. Sie fragte, also, was wünschst du dir für die Zukunft? Mascha nahm einen Zug und sagte, was erleben, Spaß haben. Ja, sagte Corinna, würde ich auch so sehen. Sie schnaubte verächtlich, weil in diesem Moment zwei Jungen auf den Platz kamen, von denen der eine in einem Einkaufswagen saß, die langen Beine angewinkelt, während der andere den Wagen schob. Den Jungen im Wagen kannten sie; er war mit ihnen konfirmiert worden. Sie winkten ihm zu, sahen aber schnell wieder fort, um ihn nicht zu ermutigen. Corinna fragte, und was hasst du am meisten?, und Mascha musste nicht lange überlegen; sie lachte, dieses Kuhdorf natürlich – sie ließ den Rauch aus der Nase entweichen – und alle seine Idioten.

★

Corinna fragt, kannst du mir einen Kaffee empfehlen?, und
Mascha überlegt, wie wär's mit einem brasilianischen? Also, sagt
Corinna, nur zu. Sie sitzt auf einem der hohen Hocker und hat die
Ellbogen auf der Theke abgestützt. Vor drei Tagen wurde ihre
Mutter ins Krankenhaus eingeliefert. Auf der Treppe in den ersten
Stock war sie gestürzt, danach konnte sie sich kaum noch aufrich-
ten, so schwindlig war ihr, und wenn sie sprach, klang es, als sei sie
betrunken. Spinnst du, hat Corinna geschrien, mitten am Tag!

Ich stell's mir vor wie einen Putsch im Gehirn, sagt sie, bei
dem danach alles in Anarchie verfällt. Sie nimmt einen Schluck
vom Kaffee. Oder eher, fährt sie fort, in diesem Fall, ein Putschver-
such, keine vollständige Auflösung aller Strukturen, nur die Abset-
zung einiger Minister. Sie lächelt tapfer und wehrt Maschas Hand
ab, indem sie die Arme vor der Brust verschränkt. Am Vormittag ist
sie im Krankenhaus gewesen und hat ihrer Mutter vorgelesen. Die
neuen Rekorde: die größte lebende Frau (bereits mit dreizehn Jahren maß sie zwei Meter), die längsten Hundeohren der Welt, die
größte Sammlung vierblättriger Kleeblätter (Elena Jordanowa aus
Bulgarien hat mehr als 450 Stück gefunden und bewahrt sie in einem Herbarium auf). Jetzt verbringe ich meinen Urlaub wohl hier,
stellt Corinna fest. Mascha sagt, ach, und winkt Joe zu, der soeben
das Café betritt. In der Hand hält er einen dünnen Blumenstrauß,
über seinen grauen Stoffhosen trägt er ein ockerfarbenes Jackett,
dessen Schultern hochstehen wie die Tressen einer Uniform. Er
kommt direkt auf sie zu und bleibt schwer atmend neben Corinna
stehen. Bevor Mascha fragen kann, wie immer?, hat er sich zu
Corinna hingedreht; er reicht ihr die Blumen, er sagt leise, bitte, bitte, er flüstert, Mist, elendiger, dann wieder, bitte, bitte, und als sie
endlich die Blumen nimmt, skeptisch die zwei roten Nelken, die
gelbe Gerbera und das Schleierkraut betrachtet und mit hochge-
zogenen Brauen dankt, wendet er sich Mascha zu, setzt sein brei-

testes, stolzestes, dümmstes Lächeln auf und sagt, na, da mach mal, dann setzt er sich auf seinen Platz am Fenster und redet kopfschüttelnd vor sich hin.

Der Ort hat nichts Malerisches an sich, nichts, das eine unbestimmte Wut auf Blumenampeln, Fachwerkhäuser und den Steinbrunnen in der Mitte des Marktplatzes auslösen könnte. Das hier ist eine kleine Stadt ohne Zentrum, das Dorf (denn das war die Stadt bis vor einigen Jahren gewesen) hat sich einfach immer weiter ausgebreitet, ist auseinandergelaufen wie Farbe auf nassem Papier, hat sich andere, kleinere Dörfer einverleibt, neue Siedlungen gegründet und sich schließlich einen Namen gegeben, dessen Ursprung niemand kennt. Zwischen den Bewohnern der älteren und der neueren Siedlungen besteht seit jeher eine Fremdheit, ebenso zwischen den ursprünglichen Dörfern: Man verachtet einander, während man Bünde und vorübergehende Koalitionen schließt.

Angenommen, Mascha und Corinna sind nur deshalb befreundet, weil sie aus der gleichen Siedlung kommen. Nicht gerade, dass sie sich sonst nicht gemocht hätten. Aber wären sie wirklich Freundinnen geworden? Tja, sagt Corinna, das sind so Überlegungen. Es ist der zehnte Tag ihres Aufenthalts. Ihrer Mutter geht es schon viel besser, sie ist weiterhin ein wenig unsicher auf den Beinen und hat zwei Krücken, die sie aber nicht gerne benutzt. Wenn sie spricht, klingt es auch jetzt noch, als habe sie getrunken; nicht viel, ich meine, sie kann sprechen, betont Corinna, aber manchmal nuschelt sie. Sie sieht Mascha zu, die die Tassen in die Spülmaschine räumt, bevor sie die Aschenbecher mit einem breiten Pinsel säubert und die Theke abwischt. Ein paar neue Rekorde gefällig?, fragt sie, und Mascha sagt, nur zu. Wissenschaftler, sagt Corinna, haben die größte Spinne entdeckt. Sie kannten sie schon lange, aber jetzt haben sie sie erstmals vermessen, und siehe da – sie spreizt beide Hände, so dass sie aussehen wie zwei harmlose Spinnen – riesig. Außerdem haben die leichtesten Drillinge bei ihrer Geburt zusammen nicht mehr als 1300 Gramm gewogen. Und ein Mann hat 61 Jahre lang mit einer Kugel im Kopf überlebt. Wie denn das?, fragt Mascha. Corinna zuckt nur mit den Schultern. Auf seinem Platz sitzt Joe und sieht sie an, sie hat ihm heute bereits einmal zugewinkt, jetzt ignoriert sie ihn. Er steht auf und macht einen Schritt auf sie zu, dann wendet er sich ab und verlässt eilig das Café. Corinna legt das Gesicht in die Hände und einen Moment lang denkt Mascha, dass sie weint, doch da hebt sie schon wieder den Kopf, sieht sie erschöpft an und sagt, dass du hier bleibst, das verstehe ich nicht.

So gesehen, gibt es keinen Grund. Bleibt sie, weil sie sich hier sicher fühlt? Oder weil ihr das Café auf überraschende Weise immer ein wenig fremd ist und sie sich deshalb nicht langweilt? Wenn Corinna sie fragen würde, würde sie ihr vielleicht antworten: Ich bleibe hier, weil ich hierher passe. Corinna würde ihr widersprechen; sie würde sagen, das ist doch Quatsch, vielleicht würde sie sagen, komm mit, nur ein paar Monate, und ich verspreche dir – aber das hat sie versucht, und sie ist wiedergekommen, schon nach vier Wochen.

Und ist das nicht schön? Dieser Blick aus dem Fenster: Direkt gegenüber das Backsteinhaus, in dessen Parterre ein Blumenladen ist, und in dem steht jetzt Joe und lässt sich ein neues Sträußchen zusammenstellen; die schon ein wenig welken Blumen bekommt er für die Hälfte ihres Preises, und es sind fünf diesmal, eine Hortensie, zwei Tulpen, eine Ranunkel, eine Narzisse, dazwischen Gräser, lang und schmal wie Schnittlauch.

Danke, sagt Corinna. Sie bindet ihm sein Taschentuch um die Hand, sie bindet es fester, als er es will, er sieht sie verschreckt an; tut's weh?, fragt sie, und er nickt und sagt, nein, nix tut weh, gar nix. Er sagt, krieg ich einen Kuss, und Corinna sagt, dann komm halt, sie zieht ihn an seinem blaugesprenkelten Halstuch zu sich hin und küsst ihn auf die Wange, dann noch einmal, diesmal aufs Ohr, danach wischt sie sich den Mund am Handrücken ab, und er bleibt neben ihr stehen und versucht, sich gegen sie zu lehnen, aber da stößt sie ihn weg, so dass er beinahe fällt, kusch, sagt sie, wie zu einem Hund, und Joe verzieht sich auf seinen Platz beim Fenster und hat in all der Aufregung seinen Kuchen vergessen. Mascha bringt ihm den Kuchen, und er versucht kurz sein triumphales Lächeln und sieht so hilflos aus, dass sie sich zu ihm setzt und nach dem letzten Konzert fragt, aber er will nicht reden, sondern isst schnell und ohne aufzuschauen.

*

Corinna sagt, er hat mich richtig abgepasst, in der Seitenstraße hat er gelauert, in einem Hauseingang, und als ich vorbeikam, hat er sich auf mich gestürzt, stark war er; die Stärke der Dummen, sagt sie, sie beißt sich auf die Fingerkuppe und schüttelt sich. Natürlich hat sie sich gewehrt, hat ihn – den sie im ersten Moment gar nicht erkannte – getreten, ihn von sich gestoßen, und als sie dann sah, wer es war, als sie begriff, dass er es war, habe sie ihm aufhelfen wollen, ihn beruhigen, aber er habe geschrien und nicht von ihr abgelassen. An die Brust hat er sie gefasst, zwischen ihre Beine gegriffen. Stell dir vor, sagt sie, der ist gemeingefährlich. Wenn nicht der Alte aus dem Fenster geschaut und Ruhe verlangt hätte – vielleicht wäre es schlimm ausgegangen. Mascha sagt, nun hat er einige Wochen keinen Ausgang. Na und, sagt Corinna, ist das meine Schuld, bin *ich* vielleicht dämlich wie ein Rind? Falle *ich* andere Leute an? Aber das passt, sagt sie, das passt zu diesem Kaff, und nein, wehrt sie ab, sag jetzt nichts, ich weiß genau, was du sagen willst: Ich hätte ihn provoziert. Dabei stimmt das nicht; ich hätte ihn verarschen können, so langweilig wie es hier ist, aber ich habe es nicht getan. Ja, sagt Mascha, ich weiß.

Hier, sagt sie, als sie am nächsten Tag am Bahnhof stehen und es nur noch wenige Minuten dauert bis zur Abfahrt. Sie hält

Corinna ein Päckchen entgegen, dunkelblaues Papier, eine glitzernde, grüne Schleife. Was ist das, fragt Corinna, ein Tennisball? Nein, sagt Mascha, mach's erst nachher auf. Als der Zug einfährt, umarmen sie sich. Komm bald wieder, sagt Mascha, versprich es. Ja, sagt Corinna, klar.

★

Lange Tournee?, fragt Mascha, als Joe wieder ins Café kommt, und er nickt und sagt, war viel los die letzten Wochen. Jeden Tag trägt er das ockerfarbene Jackett, manchmal vergisst er, ein Hemd darunter anzuziehen, dann liegen die Hosenträger auf der nackten Haut und Mascha knöpft ihm die Jacke zu, bevor er das Café verlässt. Er verschenkt keine Blumen mehr. Susannes Söhne haben aufgehört, die Mülltonnen umzuschmeißen; stattdessen frisieren sie jetzt ihre Mofas, Susanne weiß nicht, was schlimmer ist. Seit kurzem kommt Charlotte manchmal mit einem Mann ins Café, er trägt keinen Ring am Finger; mein Bruder, flüsterte sie Mascha zu, als sie ihn das erste Mal mitbrachte, und lachte. Corinna ruft oft an, einmal ist sie so glücklich, dass Mascha unruhig wird, ein anderes Mal meldet sie sich von einer Reise, hör mal, sagt sie, und Mascha hört ein Rauschen, eine metallene Stimme, die etwas Unverständliches ruft, dann ein Klingeln; ich bin mittendrin, hörst du es? Ja, sagt Mascha.

Mit Harald hat sie ihre Schicht getauscht: Nun arbeitet sie nicht mehr Donnerstag bis Samstag, sondern Montag bis Mittwoch, Sonntag arbeiten sie weiterhin beide. Einmal die Woche besucht sie jetzt einen Kurs, Spanisch für Anfänger. Nach drei Lektionen kann sie bereits sagen, wie sie heißt, woher sie kommt, wo sie arbeitet; sie kann sagen, dass sie nur wenig Spanisch spricht, es aber gerade lernt, sie kann sagen: Spanisch ist eine wunderbare Sprache. Das ist nicht viel, doch das ist ein Anfang. Schön, schön, unterbricht Corinna sie, als sie ihr davon erzählt. Mascha stellt sich vor, wie sie in ihrer Wohnung steht, im Bademantel oder nackt, wie sie sich ans Fenster stellt und die Augen zusammenkneift, weil sie in der Wohnung gegenüber jemanden gesehen hat. Immer wenn ich dich vermisse, schüttele ich die Schneekugel, sagt Corinna. Da ist ja wirklich unser Dorf drin. Sie stöhnt leise. Hör mal, sagt sie. Ich könnte hier eine Freundin brauchen. Ja, sagt Mascha, ich hier auch.

Harald hat das Schild über der Theke ausgewechselt. The more you know, the less you see, steht jetzt da. Habe ich mir selbst ausgedacht, sagt er, ich weiß nicht, ob das Englisch so ganz richtig ist. Er zuckt mit den Schultern. Aber du verstehst es, oder? Ja, sagt Mascha, ich glaube schon. Was meinst du, Frank, fragt Harald, stimmt das so?, und Frank, der Sonja auf dem Rücken hat, sagt: Bestimmt. Harald schiebt sich die Kappe aus der Stirn und sagt, tja, ist ja gerade nicht so viel los, er hängt die Schürze an den Haken, da mache ich mal eine Pause, okay? Klar, sagt Mascha.

Hast du deine Schicht gewechselt?, fragt Frank, als Harald das Lokal verlassen hat. Ja, sagt Mascha, während sie sich in die Eistruhe beugt, um das Schokoladeneis für Sonjas Milchshake herauszuholen. Sie sieht ihn nicht an, als sie sagt, passte mir besser so.

Sie kennen sich schon ihr halbes Leben, aber nicht sehr gut. Einmal haben sie beim Geburtstagsfest eines Freundes nebeneinander gesessen, eine Zeit lang haben sie gemeinsam im Chor gesungen, sein Tenor nur zwei, drei Meter von ihrem Sopran entfernt, jeden Samstag haben sie sich über die Theke hinweg unterhalten. Frank hat einmal zu Mascha gesagt, dass er sie bewundere, für ihre Freundlichkeit, ihre Ruhe; er wünschte, er würde mehr wie sie sein, gestand er ihr. Danke, sagte sie. Ihr schien, dass er sich in ihr täuschte. Sie fand ihn nett, ein wenig gutgläubig vielleicht. Im Theaterkurs lernte sie seine Frau Tina kennen, eine schmale, hübsche Braunhaarige, die über alles – und am meisten über sich selbst – spottete. Sie hatte die Rolle der Iphigenie übernommen, während Mascha eine Hosenrolle bekam, den Orest. Nach den ersten Proben rief Tina immer, Brüderchen!, wenn sie sich im Gemeindesaal trafen, wo sie einmal die Woche probten. Schwesterherz, entgegnete Mascha daraufhin. Wenn sie spielten, wurden sie beide ernst und ärgerten sich, wenn sie einen Einsatz versäumten. Vor der Premiere kauerten sie nervös hinter der Bühne und schworen sich, nie mehr nach Ruhm zu streben, wenn dieser Abend hinter ihnen läge. In der ersten Reihe saß Frank; als sie sich verbeugten, blickten sie beide in seine Richtung.

Zwei Monate später zog Mascha in die Stadt, in der auch Corinna lebt. Aus der Distanz versuchte sie sich Franks Gesicht vorzustellen, aber es gelang ihr nicht. Sie schrieb ihm einen Brief, förmlich, harmlos, sie berichtete von ihrer neuen Wohnung, von Corinnas Freunden, die auch die ihren würden, ich glaube, ich kann hier glücklich werden, schrieb sie zuversichtlich; sie setzte Grüße unter das Schreiben, an ihn und seine Frau. Dann zerriss sie den Brief, weil sie plötzlich wusste, dass sie Frank liebte. Es war, als ob man auf einem Bild eine Figur entdeckt, die man vorher nicht gesehen hat. Als hätte sie unverhofft Einblick in ein Geheimnis erhalten. Es gab keinen Weg zurück in den Zustand der Unschuld, und es gab keinen Weg nach vorn.

Doch, würde sie heute widersprechen, vorwärts geht es immer. Schon jetzt irritiert es sie kaum noch, wenn er ins Café kommt. Vielleicht kriegt sie manchmal noch einen Schreck; ein winziges Stolpern im Magen, eine kurze Verwirrung, welche Kuchen gerade im Angebot sind: Er muss sie für zerstreut halten, sie zieht eine Grimasse, wenn sie sich wieder einmal verspricht. Es kann passieren, dass sie sich an unmöglichen Orten begegnen: im Supermarkt, zwischen Waschmittel und Hundefutter, an der Sammelstelle für Sondermüll, im Freibad, auf der Leiter zum Dreimeterbrett. Sie nicken sich zu, sagen ein paar Sätze, über deren Bedeutung Mascha lange nachdenkt. Manchmal stellt sich dann ein grundloses Gefühl von Euphorie ein, eine Zuversicht, die durch nichts gerechtfertigt ist und die sie glücklich macht. Das alles ist natürlich kein Grund zu bleiben, aber sie merkt, dass es sie beruhigt, in seiner Nähe zu sein.

Für dich wie immer?, fragt sie, und Frank nickt: Wie immer. Sonja hat sich den Strohhalm in den Mund gesteckt, sie trinkt den Milchshake, ohne ein einziges Mal abzusetzen, dabei beobachtet sie Joe, der an seinem Platz sitzt und Selbstgespräche führt. Er erzählt von einer Reise, die er vor kurzem gemacht habe, nach China, sagt er. Er sagt, da war was los, er schüttelt den Kopf, er sieht verwundert aus und ein bisschen verloren. Er sagt, Tausende von Fans, Abertausende. Er sagt, die lieben mich, das würdet ihr nicht glauben.

Der Riss

Das Komische war, dass sich das Wetter nicht änderte, weder in dem Moment, als es passierte, noch in den Stunden danach, und auch am nächsten Morgen war alles so sonnig wie die ganze Woche zuvor. Sonnenstrahlen fielen durch die schlierigen Scheiben ins Wohnzimmer und machten die Luft staubig, aber immerhin sah das jetzt nicht mehr lustig aus, diese Bahn von Staubkörnchen in der Luft, sondern schmutzig und betrübt.

Den ganzen Tag danach kam meine Mutter nicht ins Wohnzimmer, nicht ein einziges Mal, und auch in den Garten war sie seit dem Vortag nicht mehr gegangen. Im Schlafzimmer lag sie auf dem Bett, mit dem Gesicht zum Schrank, auf dem Nachttisch Taschentücher, zerdrückt und feucht, und darunter ein aufgeschlagenes Buch, ich sah es, als ich zu ihr reinging, leise, auf Zehenspitzen, aber doch so, dass sie es hätte hören können, denn die Tür knirschte beim Öffnen, und der Dielenboden knarzte, da kann man gar nichts machen, egal, wie leise man auftritt, immer macht der Boden ein Geräusch und verrät einen, wenn wir Verstecken spielten, war das Schlafzimmer deshalb ein schlechter Ort, aber sie reagierte nicht, als ich endlich vor ihr stand, die Augen hielt sie geschlossen, ohne wirklich zu schlafen, die Lider zuckten, sie muss sie zusammengekniffen haben, sonst hätten sie sich geöffnet und sie hätte mich vor sich stehen sehen. Mama, flüsterte ich, und noch einmal, Mama, und als ich ihre linke Hand berührte, die direkt vor ihrer Brust lag, zog sie sie weg und drehte sich um.

Mein Vater sah mich, als ich aus dem Schlafzimmer kam und die Tür hinter mir zuzog. Lass sie lieber erst einmal, sagte er. Wir setzten uns hin, und je mehr er mich tröstete, desto heftiger musste ich weinen, und sicherlich verstand er das nicht, aber es war ja, weil ich es gar nicht verdient hatte, dass er so lieb zu mir war und mich umarmte und mich auf seinem Schoß hin- und herschaukelte, damit ich mich beruhigte, obwohl ich für so was ja eigentlich schon zu alt bin, nächsten Monat komme ich in die sechste Klasse.

Mein Vater hatte alles geregelt am Tag zuvor, er hatte den beiden Polizisten den Teich gezeigt, und der eine von ihnen sagte, es sei in diesen Fällen üblich, eine Untersuchung anzustellen, das mache man immer so, und darum müsse er jetzt auch fragen, wo mein Vater gewesen sei, zum Zeitpunkt des Unfalls, und mein Vater sagte, er sei auf einer Baustelle gewesen, nicht weit von hier, weil er, der Architekt, mit dem Bauleiter etwas besprechen musste. Meine Mutter sei aber hier gewesen, allerdings wohl im Haus, auf jeden Fall habe er das so verstanden. Ob denn überhaupt niemand auf Lotta aufgepasst habe, fragte der andere Polizist, ein junger, mit einem Bärtchen, das seinen Mund umrahmte, und einem Ohrring im linken Ohr, einer silbernen Perle, und mein Vater sagte, doch, Eva, und dann deutete er mit einer vagen Handbewegung auf mich, und ich bekam einen ganz heißen Kopf, als die beiden Polizisten mich ansahen und bedächtig nickten, ohne zu lächeln, und darum schaute ich auf den Boden. Mein Vater sagte, ich hätte wohl einen kurzen Moment nicht aufgepasst und alles sei offenbar sehr rasch gegangen, Lotta konnte schon ganz gut laufen, sagte er, wenn auch immer noch wackelig, und ist man einen Augenblick unachtsam, kann es auch schon zu spät sein, und nachher wirft man sich das ein Leben lang vor, auch er selbst mache sich Vorwürfe, immer nur die Arbeit im Kopf, aber wie das eben sei, nie rechne man damit, dass einem so etwas selbst einmal passieren könnte. Die beiden Polizisten nickten immer wieder, und am Ende meinte einer der beiden, da haben Sie Recht, das geht alles oft sehr schnell, und ich schaute ihn an und dachte, und wie schnell, und dass plötzlich, von einer Minute zur anderen, alles ganz anders ist.

In dieser einen Minute hatte Tom endlich meine Hand genommen, mit dem Zeigefinger hatte er die Innenfläche umrundet, in kitzelnden Kreisen, und dann hatte er seine Finger zwischen meinen hindurchgeschoben, bis die Fingerkuppen auf meinem Handrücken lagen. Das habe ich meinem Vater aber nicht gesagt. Ich hatte den Eindruck, das würde alles noch verschlimmern, weil ich wahrscheinlich gerade in dem Moment, als Lotta ins Wasser fiel – oder vielleicht ist sie sogar reingeklettert, es war ja ein heißer Tag –, so glücklich war. Kurz zuvor hatte ich Lotta noch gesehen, wie sie hinter Tom auf dem Rasen saß und Grashalme ausrupfte, die sie in einer Hand sammelte, und bestimmt sind die Grashalme in der Hitze schnell welk geworden. Lotta hatte ein blaues Trägerkleid an, mit großen Taschen, auf die mit weißem und rotem Garn zwei Hühner gestickt waren. Ihre Arme glänzten in der Sonne, vielleicht vom Schweiß oder weil ich sie mit Sonnencreme eingerieben hatte.

Mitten im Grassammeln sah Lotta auf und lächelte mich an, und dann betrachtete sie Tom, ich konnte ihr richtig am Gesicht ablesen, wie sie sich entschloss, zu ihm hinzugehen, wackelnd stand sie auf und lief auf ihn zu, und Tom griff mit einer Hand nach hinten, als sie sich gegen seinen Rücken fallen ließ, er kitzelte sie am Bauch, so dass Lotta kichernd und glucksend in die Knie ging, und dann drehte Tom sich um und nahm sie auf den Schoß und kitzelte sie weiter, und sie lachte und krümmte sich und strahlte Tom an, der auch lachte, nur ich war ein bisschen genervt, darum sagte ich, guck mal, da hinten ist Philipp, und Lotta blickte sich um, ob ihr Freund aus der Kinderkrippe zu sehen sei, und als sie ihn nicht entdeckte, machte sie sich los und lief so schnell es ging zum Busch und drum herum, aus meinem Blickfeld hinaus.

Erst als meine Mutter, gerade als Tom endlich meine Hand genommen hatte, aus der Terrassentür heraustrat und nach mir rief, fiel mir ein, dass ich von Lotta seit ein paar Minuten nichts mehr gesehen und gehört hatte, und es war wie beim Stolpern, der

Moment, in dem du merkst, dass du fällst, es dröhnt plötzlich im Kopf und im Hals fliegt der Puls, und ich bin aufgesprungen und habe gerufen, ich komme!, und dann bin ich um den Busch herumgelaufen. Ich hatte erwartet, dass Lotta dort sitzen würde, auf dem Boden, den Kopf zwischen den Knien, sie hätte Grashalme gezupft oder Gänseblümchen, vielleicht wäre ihr Spucke aus dem offenstehenden Mund auf den Boden getropft, und ich hätte sie aufgehoben, meine Hände hätte ich unter ihre Arme geschoben und mit ihren schaukelnden Füßen rechts und links meiner Taille wäre ich zu meiner Mutter gelaufen und hätte ihr Lotta übergeben, und dann wäre ich zurück zu Tom, in den Garten, zu unserer Decke gegangen, und vielleicht hätte er noch einmal meine Hand genommen.

Erst habe ich Lotta überhaupt nicht gesehen. Ich habe unter den Busch geschaut und meinen Blick den Zaun entlangwandern lassen, und als ich sah, dass das Gartentor offen stand, bin ich da hingerannt, die Straße habe ich mit Blicken abgesucht, erst rechts runter bis zur Ampel, dann nach links bis zum Supermarkt, aber nirgends konnte ich Lotta sehen, auch im Garten gegenüber, wo sie oft mit Philipp gespielt hat, konnte ich sie nicht entdecken, und dass ich dann zum Teich gegangen bin, war eigentlich nur, um hinter dem Farn zu schauen, ob sie da sei, ins Wasser reinschauen wollte ich gar nicht, aber dann tat ich es doch, und da sah ich sie, im Wasser, mit dem Gesicht nach unten, und ihre Haare wehten braun um den Kopf herum.

Unvermittelt war alles still in mir, aber überlaut still, wie ein Lied, das mitten im Akkord abbricht, wie die Ruhe nach dem Riss durch ein Bild, an dem man eben noch gemalt hat, und ich habe sofort gewusst, dass nun alles anders sein würde, auch wenn sich im Teich noch immer die Sonne spiegelte und der Farn weiterhin seine Blätterspitzen hineinhängen ließ, während irgendwo jemand Rasen mähte. Ich habe geschrien, so laut, dass Tom sofort angerannt

48

kam, und gleich darauf meine Mutter, aber da hatte ich Lotta schon aus dem Wasser gehoben und geschüttelt, und einen Moment lang dachte ich wohl, dass sie noch lebt, weil sie sich zu bewegen schien. Meine Mutter ist auf mich zugesprungen, sie hat mir Lotta aus den Händen gerissen, sie hat sie auf den Boden gelegt, vorsichtig, mit einer Hand in Lottas Nacken. Ruf den Notarzt, hat sie geschrien, eins eins zwei!, aber zu Tom hin, nicht zu mir, und Tom ist zum Telefon gerannt und meine Mutter hat sich über Lotta gebeugt und sie beatmet, mit beiden Händen hat sie immer wieder auf Lottas Brust gedrückt, nein, hat sie geflüstert, nein, lass das nicht wahr sein, bitte nicht, was hast du bloß getan. Dann nahm sie Lotta auf den Arm, ihren Kopf hat sie sich über die rechte Schulter gelegt und mit einer Hand hat sie in Lottas Nacken gefasst, die andere lag unter Lottas kleinem Po. Lottas Arme hingen herab, beim Rennen schlackerten sie, hin und her, hin und her, und Lottas Kopf kippte ein bisschen zur Seite. Im Haus legte meine Mutter sie aufs Sofa, ich musste Decken aus der Kommode im Esszimmer holen, darein wickelte sie Lotta, und immer wieder presste sie ihren Mund auf Lottas und atmete in sie hinein, und dann legte sie ihr Ohr an Lottas Nase und Mund, aber sie schien nichts hören zu können. Sie versuchte es wieder und wieder.

Mittendrin schrie sie mich an, ich solle Papa anrufen, die Nummer stehe auf dem Block neben dem Telefon, und so lief ich in den Flur und rief Papa an, aber ich war so aufgeregt am Telefon und musste erst lachen, bei der Mitteilung, dass Lotta ertrunken sei, und gleich darauf weinen, und insgeheim rechnete ich damit, dass Papa mich anschreien würde, aber er fragte erst ein paar Mal, was, Eva, was sagst du?, und dann sagte er: Ich bin sofort da.

Ich habe meinen Vater gar nicht kommen hören, immer nur habe ich meine Mutter angeschaut, wie sie neben dem Sofa kniete und Lotta an sich drückte, wie sie sie umdrehte und schüttelte und wie Wasser aus Lottas Mund auf das Sofa tropfte, so dass dunkle Punkte auf dem hellbraunen Stoff zu sehen waren. Die Haare meiner Mutter waren ganz strähnig und ihr Gesicht wie aufgequollen, Tom stand neben mir und blickte auf meine Mutter, warum geht der denn nicht endlich, habe ich gedacht, so soll der uns nicht sehen. Kurz darauf kam der Notarzt, aber da war alles schon zu spät. Mein Vater schickte Tom nach Hause und brachte Mama ins Bett, der Arzt gab ihr eine Spritze, damit sie aufhört zu schreien, und dann sprach mein Vater mit den Polizisten und drückte mich an sich, aber ich wusste gleich, dass er es nur aus Mitleid tut. Als der Arzt weg war, hat mein Vater auch geweint, am Tisch im Esszimmer saß er, den Kopf in die Hände gestützt, und ich stand neben ihm und sah auf seine kurzen braunen Haare, wie sie im Nacken feucht vom Hemd abstanden, von hinten habe ich ihn umarmt und meinen Kopf an seinen Rücken gelegt.

Am liebsten hätte ich ihm gleich von meiner Entscheidung erzählt, Tom nie wieder zu treffen; wenn er mir in der Schule begegnen sollte, würde ich wegschauen, und wenn irgendwer mit ihm streiten würde, wäre ich auf jeden Fall auch gegen ihn, herausfordernd würde ich ihn ansehen und mich freuen, wenn die anderen über ihn lachten. Ich habe dann aber doch nichts zu meinem Vater gesagt, weil ich fürchtete, er würde mich nicht verstehen, das ist doch total unwichtig, würde er vielleicht sagen, und dann wäre mein Opfer umsonst gewesen. Am Ende, wer weiß, würde es alles noch schlimmer machen, mein Vater würde darauf kommen, wie groß meine Schuld eigentlich ist, und dass ich nicht nur einfach unachtsam war, nein, viel schlimmer, gemein war ich, hundsgemein, und dann würde auch er sich abwenden, unmerklich, nur ein wenig würde er die Schultern nach vorne ziehen, weg von mir und meiner Umarmung, und beim Aufstehen würde er auf den Boden schauen.

Eine Art Liebe

Das ist unsere Geschichte: Ein erfolgloser Dichter und ein Zimmermädchen, ein schrankartiger Überseekoffer, ein Vater, der seinen ältesten Sohn am Kai verabschiedet (tränenreich, da betrunken), die Freunde, die schon lästern, während sie noch winken: zuversichtlich, dass er scheitern wird. Nein, sagt sie, *das* ist unsere Geschichte: Ein Mann, eine Frau, ein Schiff. – Und dann? – Die große Liebe. – Sie verzieht spöttisch den Mund. Ich weiß, sagt sie und hebt die buschigen Brauen, das bringst du nicht über die Lippen: Liebe, Liebe, Liebe. Carissima, schreibt er ihr am Abend, vielleicht ist ja meine Neigung zu dir eine Art Liebe. Ich sitze, schreibt sie zurück, die ganze Zeit da wie ein Idiot und denke an dich.

Als Nora aufwacht, im Gasthaus in der Nähe der Bahnhofstraße, liegt James nicht neben ihr. Über den schmalen Schreibtisch gebeugt, die kurzsichtigen Augen nahe ans Papier gebracht, schreibt er; er schreibt, elle n'est plus vierge, elle est touchée, ein Triumphschrei für seinen Bruder Stanislaus, sie sieht ihm über die Schulter, sie fragt: Was heißt das? Er lacht. Sag's mir! Er sagt, das heißt, uns geht es gut, und sie sieht ihn prüfend an, kneift ihre dunkelblauen Augen zusammen, sie ist nackt, sie sagt: Willst du eigentlich ewig da sitzen bleiben? Beim Frühstück singt sie – der alte Tom Gregory hat eine Riesenmenagerie –, er lächelt vage und schiebt seine Brille zurück auf die Nasenwurzel, sie leckt die Marmelade vom Löffel, summt wieder, er sagt: Hör schon auf.

Zürich, Triest, Pula. Der Barde, spottet Gogarty zu Hause, ist nach Pula an der Adria geflüchtet, und eine kleine Sklavin teilt seine Flucht. Kümmer dich nicht drum, rät sie James. Er verzieht böse den Mund. Irland vermisse ich nicht, sagt er, und meine Familie? Nur einer von denen versteht mich, die anderen können mir gestohlen bleiben. Aber was er vermisse: Ochsenfleisch mit weißen Rüben und Karotten. Die neblige Bucht von Dublin. Das freie und glückliche Leben. Hat nicht auch Ibsen seine Frau verlassen? Es mag schwer sein, mit mir zu leben, aber ich habe nicht die Absicht, mich zu ändern. – Ich auch nicht, sagt Nora und ist für einen Moment sehr ernst. Dann hält sie ihm die Augen zu, komm, sie ist aufgeregt, jetzt bist du blind, sie lacht (grausam, denn sie kennt seine Angst zu erblinden), sie schiebt ihn über die Türschwelle, nimmt die Hände von seinem Gesicht. Wie findest du es? Sie sieht ihn strahlend an: sein Schreibtisch direkt am Fenster, ein kleiner weißer Teppich vor dem Bett, Vorhänge aus dottergelbem Stoff. Schön, sagt er – woher hast du das Geld? Sie zuckt mit den Schultern: Alles geschnorrt, alles geliehen. In einer Ecke das Kind in seinem Bettchen, das markerschütternde Geschrei, sie geht hin und hebt es hoch, sie flüstert, Georgie, sie macht, pscht, und James wendet sich ab, die Augen brennen, er nimmt die Brille in die Hand, um sich die Lider zu reiben, er sagt: Es muss still sein, hörst du, sonst nützt das alles nichts.

Worauf sich meine Frau wirklich versteht, ist das Seifenblasenmachen und Kinderkriegen. Er lacht, und sie betrachtet mürrisch die Wand des Cafés, die Freundin legt ihr eine Hand auf den Arm, doch da spricht schon der hoch aufgeschossene Engländer mit dem wächsernen Gesicht, der geschliffenen Aussprache: Er ist viel zu gut für Sie, Sie werden ihm nie gewachsen sein. Nora sieht ihren Mann an, der leicht die Nase kraust und dann unbestimmt lächelt. Hat dieser Bursche dich geärgert?, fragt er sie später. Oder habe ich dich geärgert, dadurch, dass ich mich herausgehalten habe? Ich will dich hundertfach küssen. Wenn James betrunken ist, wird er rührselig, irgendwann klappt er zusammen wie eine Stoffpuppe, lässt sich von Stanislaus auf den Rücken nehmen, er ist so leicht, sie schreit: Besauf dich ruhig, aber ich versprech dir, morgen nehme ich die Kinder und verlasse dich! Alles Bluff, schreibt Tante Josephine. Wo sollte sie denn auch hin? Zurück nach Galway?

James' erster Besuch in Dublin: Wie er den kleinen Georgio durch die Gassen führt, ihn jedermann zeigt: Er ist das Beste, was ich bislang hervorgebracht habe. Alle sind von Georgie entzückt, schreibt er nach Pula.

Ist das unsere Geschichte: Ein Dichter, seine untreue Geliebte, ein Sohn von zweifelhafter Herkunft – wie viele hat sie vor ihm geliebt, wie viele gleichzeitig? Nein, mein Lieber, *das* ist unsere Geschichte: Ein Mann, der alles glaubt, der gebildet ist und dumm, ein einfältiger Kerl.

Ich bin ein Narr gewesen; die ganze Zeit dachte ich, du gäbest dich nur mir hin. Ist Georgie mein Sohn? Du hast meinen Glauben an dich zerstört. Schreib mir, hörst du, schreib mir. Um meiner toten Liebe willen.

Nora antwortet nicht. Liest die Briefe immer wieder durch, weint, trägt das Baby durch die Wohnung, wird krank. Aber sie antwortet nicht, zwei Wochen lang. Sie schreit Stanislaus an: Wie kann dein Bruder bloß Gogarty glauben? Ist sie nicht mit ihm gekommen, ohne Sicherheit, ohne Trauschein? Hat sie nicht ihre Familie verstoßen, ihre Freunde, hat sie nicht gehandelt wie einer der Jünger? Reicht es ihm nicht, ihr Gott zu sein? Stanislaus weiß es nicht. Er liefert sein Gehalt ab, stellt ihr Obst ans Bett, räumt Teller und Tassen in die Küche, schaut sie nicht an, wenn sie ihn anschreit. Die kleine Lucia hockt zwischen den Kleidungsstücken auf dem Boden, das dunkle Haar ungekämmt; wenn sie ihren Onkel erblickt, jauchzt sie, lispelt kleine italienische Wörter, ihr Silberblick zielt haarscharf an ihm vorbei. Er setzt sie an den Tisch, sie verzieht die Lippen und weint, er führt ihr Löffel um Löffel an den Mund, vergeblich, er lässt den Löffel kreisen, brummt dazu, eine Eisenbahn, behauptet er. Lucia lächelt unschlüssig. Sie will nichts essen. Du bist die Mutter, ruft er in Richtung des Schlafzimmers, hilf mir! Es ist mir egal, sagt Nora und dreht sich zur Wand. Wenn sie Hunger hat, wird sie schon essen.

Dann, endlich, ein neuer Brief. Sie hebt Lucia in die Luft, wirbelt sie umher, sie lachen beide. Bin ich grausam zu dir gewesen? Verzeih mir, mein Liebling. Was für ein nichtswürdiger Bursche ich bin! Ich sehe dich in hundert Posen, verschämt, jungfräulich, schmachtend. Ich wünschte, du würdest mich schlagen oder sogar auspeitschen. Nicht im Spaß, Liebe, im Ernst und auf mein nacktes Fleisch. Liebster, schreibt Nora, vielen Dank für deinen Brief, Heckenblume, das ist ein schöner Name, den du mir gibst. Ich denke viel an dich. – Was denkst du?, beschreib es mir. – Ich denke daran, wie du mich küsst, ich versuche mich zu erinnern, wie es war, als wir uns zum ersten Mal liebten. – Wie war es denn? – Schön, schreibt sie, und er bittet: Beschreib es mir. Sie schreibt: Es war ein Übergriff und eine Zumutung. Es erinnert immer ein wenig an einen Kampf. Er antwortet mit einem einzigen Satz: Wenn ich an dich denke, sehe ich deinen Schoß vor mir, wie er sich mir öffnet, meiner Zunge, meinem Schwanz. Ich wünschte, du wärst hier, schreibt sie (sie ist verwirrt und erregt, sie hat lachen müssen, als sie seinen Brief las). Sie zerreißt das Geschriebene, sie schreibt: Ich will, dass du mich vögelst, in den Arsch und in den Mund, ich will deine Hose aufknöpfen und deinen Schwanz lutschen wie eine Brustwarze. Meine Geliebte, mein Leben, mein Stern, schreibt er, mein seltsamäugiges Irland, lass mich dir ergeben sein, besteig mich grunzend wie eine Sau, lass deinen Kot auf mich fallen. Schreib mehr und noch schmutziger, Liebling. Ich werde dich nie wieder verlassen.

Das ist unsere Geschichte: Ein Genie aus Dublin, der ein Mädchen vom Land liebt, deren linkes Auge ein hängendes Lid hat, eine mit rotbraunen Haaren und jungenhaften Schenkeln, eine, die gerne flucht und die schon am ersten Abend (im Dunkeln am Hafen) ihre Hand in seine Hose steckt, während er ihr einen Fünfundzwanzig-Minuten-Kuss auf den Nacken drückt. Und *das* ist unsere Geschichte, sagt sie: Zahllose Umzüge von einer schäbigen Unterkunft in die nächste, zwei kränkelnde Kinder, ein Mann, der das wenige Geld versäuft und so ängstlich ist, dass er wegen eines Donnerschlags oder einer vorbeihuschenden Ratte in Ohnmacht fällt.

Die Frage ist, gegen wen er eigentlich bitterer ist: gegen andere oder gegen sich selbst. Sei nett zu ihm, flüstert er Nora zu, dann wendet er sich zum Gast um, der verlegen an der Tür verharrt: Nicht doch, Sie stören nicht.

Dort, vor der nackten Wand, sitzt Nora und steckt sich das Haar auf, schlafäugig, das schwarze Kleid hat ein weites Dekolletee, sie stützt einen Arm auf die Sofalehne, während Prezioso, von ihrem Mann herbestellt, neben dem Maler sitzt und sie anstarrt, reglos wie ein panisches Tier. Kommt die Zeitung denn ohne Sie aus, Signore Prezioso? Er nickt. Lächelt unter seinem dünnen Bärtchen, sein Hals ist im Vatermörder gefangen, seine langen schlanken Finger lockern den Kragen, er geht zu ihr hin, nähert seinen Mund ihrem Ohr, er flüstert, il sole s'è levato per Lei – Glauben Sie das wirklich, fragt sie, dass die Sonne nur für mich scheint? –, er sieht sie ernst an, nickt, seine Lippen berühren ihr Ohr.

Was mit Prezioso passiert sein könnte. Erzähl es mir, sag mir, was hat er getan, hat er seine Finger in dir gehabt, wie weit? Hat er dich geküsst? Hast du die Augen geschlossen dabei? Sie schüttelt den Kopf: Nichts von alledem. Er beharrt: Doch, gestehe es endlich! Wozu?, fragt sie. Warum willst du, dass ich einen anderen liebe? Ich will es nur wissen, sagt er, als habe er sie nicht gehört. Hat er dich gefickt? Nein, sagt sie, hat er nicht. Er läuft neben ihr her, unglücklich, als wäre ein Vorhaben gescheitert. Sie schweigen, dann sagt er flehentlich, versteh doch, ich sehne den Verrat herbei, der mich zerstört. Und mich, sagt sie. Oder hältst du mich für dumm?

Sie kennt das Ausmaß seiner Verfehlungen: Amalia – schwarze Haare, dicht und lockig wie Persianer, das Trip-Trap ihrer Absätze, wenn sie die Straße entlangläuft, das blasse Gesicht zur Hälfte im Pelz verborgen, ihr aufgeregtes Hüsteln, wenn er (ihr Englischlehrer) das elterliche Haus in der Via Alice betritt – ein graues Ungetüm mit einem Löwen rechts der Tür, der grimmig die Vorderpfoten in die Höhe reckt.

Annie, die er küsst, als sie nach dem Unterricht ihre Bücher zusammenpackt, und der er – eine ihrer dunklen Fransen, die ihn an den Schweif eines kaltblütigen Ponys erinnern, um die Hand gewickelt – vorschlägt, ihn zu heiraten. Die ihm die Haarsträhne entzieht. Den Kopf bedauernd schüttelt. No, Signore. Grazie.

Gertrude, eine deutsche Ärztin: Ihnen, liebe Gertrude, verrate ich mein erstes sexuelles Erlebnis. Ich belauschte, wie mein Kindermädchen urinierte, wie alt mag ich gewesen sein, zehn, elf, und stellen Sie sich meine Erregung vor –. Eine Freundschaft zwischen uns (das lässt sie ihm, kühl genug, von Freunden ausrichten) würde Ihre Frau nicht lustig finden.

Und Marthe. Ja, Marthe, James spricht den Namen gedehnt aus und beugt sich – sie sind auf einer Feier; soeben wurde das Essen aufgetragen: Gerichte aus dem Mittleren Osten, fremdländische Gewürze, die für einen winzigen Moment den Gaumen irritieren – vertraulich zu seinem Freund hin: Ich habe die heißesten und kühlsten Stellen ihres Körpers erforscht. Sie hat ein reizendes Hinken, hast du das bemerkt? Ja, habe ich, sagt der Freund. Ihm ist unbehaglich zumute; er hat sein Atelier zur Verfügung gestellt, hat mit Kohle eine dicke, nackte Frau an die weiße Wand zeichnen müssen, damit Marthe davor stünde. In Verlegenheit geriete. Auf Ideen käme.

Sie könnte sie ihm aufzählen, all die Mädchen und Frauen, die er begehrte, er würde nicht leugnen, er würde sagen: Aber ich liebe nur dich, meine Galway-Braut, mein Klostermädchen.

Angst, auch das kommt vor in unserer Geschichte. Welcher Art? (Schon wieder der Spott in ihrer Stimme.) Meinst du deine Angst vor Donner, Krankheit, Hunden? Nein. Er schüttelt den Kopf. Er liebt ihre Herablassung, aber nicht immer. Nein, wiederholt er, ich meine die Angst, dich zu verlieren.

Hier gibt es nichts als Überfälle und Morde. James zitiert aus dem Brief seiner Tante, hält ihn Nora vors Gesicht, doch sie wedelt ihn mit einer Handbewegung weg wie ein Insekt. Ich fahre, sagt sie, während sie den Koffer schließt. Und Georgie und Lucia kommen mit. Iren töten Iren, verstehst du das nicht? Er ist in heller Aufregung, dieser zarte, vogelartige Mann; er sieht sie mit dem Ausdruck größter Bestürzung an, geht vom Fenster zum Schrank, betrachtet unschlüssig das eigene Spiegelbild und zieht eine Grimasse, bevor er wieder zu ihr kommt. Er berührt sie fast, so nah steht er hinter ihr, grimmig wartend. Wie ein Kind, denkt sie. Ob er weiß, dass sie ihn verlassen will?

Er hat recht: Galway ist zweigeteilt, zerrissen zwischen den Anhängern und Gegnern der Krone. Die Priester trauen sich nachts nicht aus dem Haus, die Kranken müssen ohne Sakramente sterben, Zivilisten werden erschossen, Postämter und Schnapsläden gestürmt. Es stinkt nach gekochtem Kohl, klagt Lucia im Haus ihrer Großmutter, und Georgie bürstet jeden Morgen seinen Anzug ab, peinlich besorgt, ihn von Staub freizuhalten. Im Zug nach Dublin müssen sie sich auf den Boden kauern, um nicht von den Schüssen getroffen zu werden. Mein Liebling, meine Liebste, meine Königin, schreibt James an Nora, offenbar ist es unmöglich, dir die Verzweiflung zu beschreiben, in der ich mich befinde, seitdem du fort bist. Gestern hatte ich im Laden von Miss Beach einen Ohnmachtsanfall. Sie muss lachen, als sie seinen Brief liest. Wir fahren zurück, sagt sie zu ihren Kindern. Kauft eurem Vater ein Fläschchen Riechsalz, er kann es brauchen.

Und keine Rückkehr mehr zum heimischen Misthaufen? Nein. Keine. Aber Heimweh. Nach dem bleichen Himmel, den schmutzigen Gassen, dem erbärmlichen, schlammigen Flüsschen? Ja, nach alldem.

An seinem vierzigsten Geburtstag liegt das fertige Buch auf dem Frühstückstisch. Miss Beach ist früh aufgestanden und hat es direkt vom Bahnhof ins Hotel gebracht. Er nimmt es in die Hand, beginnt zögernd darin zu blättern, verweilt auf einer Seite, manchmal kneift er seine hellen Augen, die durch die dicken Brillengläser riesenhaft vergrößert sind, zusammen, dann liest er weiter, einige Male lächelt er zustimmend. In Paris liegt Schnee an diesem Tag, vor dem Hotel stauen sich die Menschen auf dem Bürgersteig, die spitzen Enden der Spazierstöcke stoßen in den Matsch. Auf der gegenüberliegenden Straßenseite hat die Heilsarmee Stellung bezogen, drei Männer in dunklen Uniformen und zwei Frauen in Schwesterntracht, deren Gesang hinter den Scheiben des Hotels nicht zu hören ist.

Er hält Nora das Buch hin, sie wiegt es, als schätze sie sein Gewicht. Sieben Jahre Arbeit. Sie nickt Miss Beach zu, die sie erwartungsvoll ansieht, sie sagt spöttisch: Und was habe ich nun davon? Nur sie selbst lacht kurz auf, Miss Beach sieht bestürzt zu Boden. Sie verkennen sein Genie, sagt sie. Aber das muss ihr niemand sagen.

Sie ist jetzt die zugängliche Seite der Gottheit. Sie ist immer noch schön. Wer ihn kennenlernen möchte, sucht den Weg über sie. Sie sagt: Was ich hasse, sind Regenschirme, was ich mag: Brathuhn und Wagner; ich glaube an Gott und lese Pornographie, in sexuellen Belangen bin ich nicht unerfahren, wozu auch? Seine Bewunderer lacht sie aus, sie sagt, vielleicht sollten wir ihn in einen Käfig stecken und mit Erdnüssen füttern; manche finden sie ungebildet und dumm, ein Mädchen vom Land. Das stimmt, sagt sie und lacht noch lauter.

Was sonst noch vorkommt in dieser Geschichte: Erfolg und Misserfolg, Geldnöte, Augenschmerzen, ein traurig nutzloser Sohn, eine geisteskranke Tochter, im Mittelpunkt er, größer als die Sonne (und manchmal klein wie ein Hühnerknochen). Außerdem eine Frau, die ihren Mann liebt und ihn doch verlassen will (es ist aus, aus und vorbei!), und er, der das verhindern muss: Ich brauche dich, du darfst nicht gehen. Im Bett legt er beide Arme von hinten um sie. Das ist der Vorteil an der Liebe: Sie wärmt besser als eine Wärmflasche, und wenn wir die gefalteten Hosen unter die Matratze legen, sparen wir uns die Heißmangel.

Manchmal, sagt sie, habe ich dich so satt, dann wünschte ich, du würdest dich ertränken.

Und im Hintergrund das Weltgeschehen, das sich immer schneller abspult, dünnes Garn, dem Reißen nah. Von ferne dringt das wilde Klappern der Spulen in ihr Universum, in dem er, umgeben von seinen aus den Bahnen stürzenden Satelliten, an sich selbst verbrennt. Gebt dem Schreihals doch Europa, sagt er gleichgültig, führen kann er immerhin. Sie nimmt das Tranchiermesser von der Platte: Noch ein gutes Wort über diesen Teufel, und ich bringe dich um!

Mitten in der Nacht wacht James auf, sein Magen schmerzt, er rüttelt Nora am Arm, hilf mir! Am Abend in der Kronenhalle hatte er nichts essen wollen; er hatte aus dem Fenster auf den Bellevue-Platz gesehen und sich weggewünscht, während seine Freunde über Kunst sprachen, das Wetter und den Krieg. Sein Keuchen klingt wie ein kurzes, verblüfftes Lachen, dann wird er bewusstlos.

Ist er noch einmal wach geworden? Hat er nach mir gefragt? Der Arzt nickt. Sein Kittel ist ganz weiß, denkt Nora verwundert, dann denkt sie: Und ich war nicht da. Eine junge Frau geht den Flur entlang, ihre Baskenmütze von Schneeflocken bedeckt, die sich schon auflösen. Nora sieht ihr hinterher.

Nein. Sie schüttelt den Kopf und sieht Stanislaus nicht an. Nichts Katholisches, das kann ich ihm nicht antun. Aber ein Gebinde in Form einer Harfe. Weil er doch, sagt sie, die Musik so liebte. (Wäre er jetzt hier, würde sie singen: Der alte Tom Gregory hat eine Riesenmenagerie – hör schon auf, würde er sagen, eifersüchtig und belustigt.) Sie beugt sich über den Rand des Grabes, blickt durch das Sichtfenster im Sargdeckel auf sein Gesicht: Wie schön du bist.

So war das, sagt sie und steckt sich eine lose Strähne in den Haarkranz. Ein Mann und eine Frau. Sie lächelt ihre Tochter an, die ruhig ist, erschöpft von den letzten Wochen, in denen sie tobte, sich die Arme blutig biss, sich Fremden halbnackt auf den Schoß setzte, in denen sie ihr Zimmer schwarz anmalte und dem Psychiater Rede und Antwort stand, dem dicken, materialistischen Schweizer, sagt sie und bläst die Backen auf. Es ist eine Atempause, keine Rettung, sie wissen es beide. Was macht er denn unter der Erde, der Idiot?, hatte sie gefragt. Wann wird er sich endlich entschließen, wieder rauszukommen? Jetzt sagt sie: Erzähl es noch einmal, ein letztes Mal. Sie bettelt wie ein Kind, und ihre Mutter sagt: Was gibt es da zu erzählen? Sie denkt an einen seiner ersten Briefe: Vermöge der apostolischen Kräfte, mir von seiner Heiligkeit Papst Pius dem Zehnten verliehen, gebe ich dir hiermit die Erlaubnis, ohne Unterröcke zu kommen. Sie sieht ihre Tochter zerstreut an. Da war nicht viel, sagt sie schließlich. Ich habe ja gesagt, ja, ich will. Ja.

Zeit der Flunder

Als das Meer wieder in ihr Blickfeld kam, eine blaue, träge Masse zwischen Raps, Wiesen und Himmel, und Moritz ›so‹ sagte, mit einer Kürze, die darauf hinwies, dass sie am Ziel ihrer Fahrt angekommen waren, streckte sie die rechte Hand aus dem Fenster, der Wind stieß gegen ihre aufgerichtete Handfläche, ein halbherziger Widerstand, dachte sie, ein leicht zu überwindendes Hindernis, sie stellte das Radio leiser und sah Moritz an, der jetzt langsam fuhr, die Randstreifen der Straße mit zusammengekniffenen Augen nach einem Parkplatz absuchte, sich auf die Unterlippe biss, seine Haare, glänzend von Schweiß, standen über der Stirn unordentlich ab, sie kurbelte das Fenster nach oben.

Groß sei er, hatte ihre Freundin gesagt, groß wie ein Baum, aber nicht so hart, sie lachte, ja, ein Bäuchlein habe er, und breite Füße, die Haut zwischen seinen Zehen rage so weit nach vorne, dass man meinen könne, er habe Schwimmhäute; Entenfüße, würde sie manchmal dazu sagen, aber er würde den Spaß verstehen, wie er überhaupt humorvoll sei, er bringt mich zum Lachen, sagte sie, und dass er Hände habe, auf deren Rücken deutlich die Adern hervorträten, was sie als Kind schon immer an den Freunden der Eltern gemocht habe, diese blauen Bahnen unter der Haut, die energisch aussähen, zupackend, sehr männlich. Sie sagte, wenn er lacht, lacht sein ganzer Körper, nicht nur der Mund und die Augen; ein lachender Rücken sei eine der nettesten Sachen, die es gebe, sie habe das bisher gar nicht gekannt, diese Fähigkeit, so glücklich zu sein, mit jeder Faser des Körpers, und das auch auszustrahlen, wie ein Kugelblitz, sie wurde kurz still, er ist so schön, sagte sie, und

Gesa räusperte sich und legte ihren Zeigefinger in die spiralförmigen Windungen des Telefonkabels. Wenn er sich am Morgen rasiert, sagte die Freundin, ist sein Gesicht am Abend schon wieder schattig, nun lasse er sich einen Bart wachsen; irgendwann müsse in seiner Familie einmal ein Südländer gewesen sein, trotz der hellen Haut, ein Spanier, ein Jugoslawe, ein Italiener, sie wisse es nicht, er auch nicht, er habe kein Interesse an Genealogie, aber das würde sich ändern, sie würde, drohte sie, die Familiengeschichte erforschen und in einem Stammbaum darstellen, den sie sich aufs Gästeklo hängen würden, unten, in den Wurzeln, die Urahnen, im breiten Stamm die Großeltern, in Höhe der ersten Äste die Tanten, Onkel, Eltern, im blättrigen Bauch sie beide, die Geschwister, Cousinen und Cousins, darüber, in den Wipfeln des Baumes, die Kinder, die ganzen Neffen und Nichten, nur bei ihnen beiden sei dann noch etwas frei, zwei, drei leere Kästchen, oder vier?, in die irgendwann die Fotos ihrer Söhne und Töchter kämen; unglaublich, dass ich wirklich diesen Mann bekommen soll, und das für immer, sie flüsterte, als handele es sich um etwas Obszönes, und Gesa sagte: Du hast es verdient, Marion. Ich bin gespannt, sagte sie, wie man das so sagt, ich bin gespannt. Sie würde nach Stralsund kommen, natürlich, das Hotel, direkt am Meer, sie gähnte, der Name des Lokals, Klabautermann, sie würde es sich merken.

Er sei als Erster der Gruppe ins Restaurant gekommen, in dem sie schon gesessen habe, erzählte Gesa später Marion, und sie habe ihn nicht erkannt, sie habe gedacht, sagte sie, er sei breiter, gröber, nicht so – sie suchte nach dem passenden Wort – zart, und Marion fragte, er gefällt dir also?, und wartete gar nicht die Antwort ab und rief: Du glaubst nicht, wie sehr mich das freut! Sie sei erleichtert. Es wäre schlimm für sie gewesen, fügte sie hinzu, wenn Gesa ihn nicht gemocht hätte. Gesa nickte stumm und umarmte Marion, die sie zum Auto gebracht hatte, während Moritz und die anderen noch im Klabautermann saßen und, vielleicht ein letztes Mal an diesem Abend, auf die bevorstehende Hochzeit anstießen.

Sie war vom Hotel zum Hafen gelaufen, die weißgefiederten Bäuche der geckernden Möwen im Nachthimmel über ihr. Sie hatte sich an den Ecktisch gesetzt, der auf Marions Namen reserviert war, und sah ihn hereinkommen und unter dem Fischernetz auf sie zugehen, geschickt duckte er sich unter einem herabhängenden Seestern weg, er blieb vor dem Tisch stehen, sah sie ausdruckslos an, sagte Hallo, nannte seinen Namen und winkte, als sie ihren nannte, ab, ich weiß, sagte er. Er setzte sich ihr gegenüber, den Kragen des hellblauen Hemdes ordnete er mit der rechten Hand, die Haare warf er mit kleinen ruckartigen Kopfbewegungen aus dem Gesicht, er nickte ihr zu, bestellte sich ein Bier, die Augenbrauen fragend gehoben, für dich auch noch was?, und Gesa legte die Hand um den Rand ihres Glases: Ich habe noch. Als er den ersten Schluck vom Bier genommen hatte, fuhr er sich mit dem Handrücken über den Mund, schaute sie an, holte tief Luft und sagte mit gelangweilter Stimme, ich weiß schon so viel von dir, Marion spricht dauernd über dich, und als würde das jede weitere Nachfrage überflüssig machen, zeigte er auf ein vor dem Fenster stehendes Modellschiff, ein Dreimaster, auf dem der Name Störtebeker geschrieben stand, unser Nationalheld, sagte er, unser Stadtheiliger, und dann kam Marion und mit ihr eine Freundin, klein, braunhaarig, unscheinbar wie ein Feldhase, und Marion umarmte Gesa und ließ sie eine ganze Zeit lang nicht los. Über Marions Schulter hinweg sah Gesa das Gesicht von Moritz, sein hochmütiges Lächeln, das nur einen Mundwinkel nach oben zog, seine in Falten gelegte Stirn, die Blässe, die seine Augen noch dunkler erscheinen ließ, den dünnen schwarzen Bart, und Moritz sah sie an und neigte sich dann, ohne die Augen von ihr abzuwenden, der Braunhaarigen zu, flüsterte ihr etwas ins Ohr, worauf diese in Lachen ausbrach, was sie zu verbergen suchte, indem sie sich eine Hand vor den Mund hielt.

Vier weitere Freunde kamen, Tom und Doreen, Marco und Isabelle, und Moritz bestellte Wein für alle; natürlich ohne Eiswürfel, sagte er auf die Nachfrage des Kellners, oder ist der etwa nicht kalt genug?, er sah die anderen belustigt an, und als der Wein kam, verkostete er ihn, hielt das hohe Glas schräg vors Licht, bevor er am Wein roch, dann nippte er, schmeckte dem Schluck kauend nach und nickte schließlich. Aber beim Essen beugte er sich zu weit über den Teller.

Moritz werde sich um sie kümmern, sagte Marion, als Gesa die Autotür aufschloss, sie selbst habe noch so viel vorzubereiten, der Tischschmuck, der Brautstrauß, das Essen, alles gelte es zu überprüfen, und Gesa drehte sich zu ihr um und rief, nein, und ruhiger sagte sie, lass doch, sie werde am Strand liegen, vielleicht schwimmen, aber Marion unterbrach sie, Moritz habe sich bereits alles überlegt, Meeresmuseum, Hafenrundfahrt, dann auf die Insel, morgen, zehn Uhr, hole er sie am Hotel ab und sie könne, ja dürfe nicht nein sagen, beteuerte sie, als Gesa ablehnen wollte.

Sie standen in der Welt, die sich blau und grün um sie herum wölbte, Gesa stellte sich auf die Stelle des Bodens, an der die Umrisse zweier nackter Füße aufgemalt waren. Mit ihrem Eintreten in die runde Kabine war eine weibliche Stimme erklungen, die ihnen über den Lärm von Wellen hinweg mitteilte, zu wie viel Prozent die Erde von Wasser bedeckt sei und welche Bedeutung die Ozeane, Flüsse, Seen und Bäche für die Menschen hätten. Der Boden vibrierte, als tobte unter ihnen das nahe Meer. Moritz legte den Kopf schräg und lauschte mit vor der Brust verschränkten Armen und einem, wie Gesa fand, unpassenden Ernst dem Vortrag. Solange die Stimme sprach, betrachtete sie ihn, wie er vor Südamerika stand, während sein Kopf im Atlantik schwamm.

In Vitrinen lagen Korallen, Fossilien, eine riesenhafte chinesische Wollhandkrabbe und Napfschnecken, die sich an einen Stein klammerten und wie fächerförmige Muscheln aussahen; Fische schwebten, für die Ewigkeit präpariert, in Glasröhren, neben dem Foto eines aus seiner Anemone spähenden Krebses war ein Text gedruckt, der die lebenslange Partnerschaft von Krebs und Anemone beschrieb. Der Schädelknochen eines Delfins lag in einem Schaukasten, und Gesa staunte über die gleichmäßigen Reihen kleiner, völlig harmlos aussehender Zähne, doch als sie Moritz, der ihr gefolgt war, darauf hinweisen wollte, sah sie, dass er mit zurückgelegtem Kopf das an der Decke aufgehängte Skelett eines Wals betrachtete. Komm, sagte er, als er merkte, dass sie ihn ansah, und führte sie zu einem Bullauge, an das sich eine dunkle Röhre anschloss, geh ganz nah vors Glas, flüsterte er, und Gesa hielt ihr Gesicht vor das Bullauge. Als ein roter Fisch mit aufgerissenem Maul in der plötzlich hell erleuchteten Röhre auf sie zuraste, schrie sie auf. Moritz lachte. Man kann ja sogar das Gestänge sehen, schau doch genau hin, sagte er verächtlich, und, tatsächlich, als sie ein zweites Mal den Fisch auf sich zukommen sah, erkannte sie deutlich die Metallstange, an der er befestigt war, und das Schraubgewinde in seinem Maul. Trotzdem, sagte sie.

Du musst, sagte Gesa, als sie aus dem Museum traten, wirklich nicht den ganzen Tag mit mir verbringen. Moritz betrachtete seine Fingernägel, während sie sprach. Musst du nicht auch noch etwas vorbereiten?, fragte sie und sah an seinem Gesicht vorbei auf das riesige Segelschiff, das, fest am Hafen vertäut, über eine Metallbrücke bestiegen und besichtigt werden konnte. Eine vierköpfige Combo stand auf dem Heck des Schiffes und spielte einen Schlager, den Gesa kannte, hinter ihr sang jemand leise und falsch den Text. Nein, sagte Moritz, ich muss nichts vorbereiten, und nein, ich muss natürlich nicht den ganzen Tag mit dir verbringen, es ist, sagte er, aber in Ordnung, du bist ja die beste Freundin von Marion und zum ersten Mal hier, er hüstelte. Gesa nickte.

In der Fischhalle aßen sie Brateringe, die nach Essig schmeckten, und dazu Brötchen, sie lehnten am Tresen vor dem Fenster, schnitten die Fischbäuche der Länge nach auf, schoben mit den Messern die oberen Hälften von den Fischen, dann hoben sie die Gräten an der Schwanzflosse hoch und legten sie neben die Teller, wo sie, hingestreckt wie tote Tausendfüßler, tranige Flecken auf den blauweißen Sets hinterließen. Sie schauten hinaus auf die schmale Gasse und das gegenüberliegende Backsteingebäude, in dem ein Souvenirladen war, Moritz zeigte manchmal nach draußen und sagte, den kenne ich, den auch, ein alter Freund, eine Schulkameradin, und das ist die Nachbarin meiner Eltern. Der Himmel hatte sich zugezogen, grau türmten sich die Wolken über dem Wasser auf, es sei eine Frage von Minuten, sagte Moritz jetzt, bis der Regen komme, er würde wetten, dass es, kaum würden sie den Dampfer betreten, zu regnen beginne, vielleicht käme auch ein Sturm auf, bist du seefest?, fragte er, und Gesa zuckte mit den Schultern und sagte: Wir werden sehen. Sie überlegte, ob er sich wünschte, dass ihr schlecht würde.

Eine Schulklasse saß bereits im Restaurant auf dem Unterdeck, als sie an der Theke zwei Karten kauften. Über Lautsprecher erklang Musik, die Jugendlichen zogen an ihren Zigaretten und stießen den Rauch weit von sich, mit ernsten, nüchternen Gesichtern, im nächsten Moment lachten sie laut auf, riefen sich quer durch den Raum Botschaften zu, die Mädchen lehnten sich in ihren Bänken geschmeidig nach rechts und links, gegen die Jungen, die ihre Arme auf die Rückenlehnen gelegt hatten. Ein dickliches Mädchen in Jeans und Turnschuhen und einem bunt bedruckten, weit ausgeschnittenen T-Shirt schrieb einem Jungen mit dem Zeigefinger etwas auf den Rücken, langsamer, sagte er, ich kann's nicht entziffern, mach noch mal, und das Mädchen setzte den Finger wieder an, zog langsam Bahn um Bahn auf dem Rücken des Jungen, fünf Buchstaben, s - u - g - a - r, las Gesa, Kosewort?, Code?, der Junge verdrehte ratlos die Augen, Susan?, fragte er, und das Mädchen sagte abschätzig, nein; nein, sagte sie, vergiss es, und wandte sich vom Rücken des Jungen ab und ihrer Cola zu, um die Zitronenscheibe mit zwei Fingern aus dem Glas zu fischen. Ein Junge mit hellbraunem, über die Schulter nach vorne geworfenem Pferdeschwanz verteilte Spielkarten, die Mitspieler fächerten die Karten vor ihren Gesichtern auf, einer nannte die erste Zahl und nahm die Zigarette, die er zwischen Daumen und Zeigefinger hielt, in den Mund, statt der Musik kam nun die Stimme des Kapitäns aus den Lautsprechern, er begrüße die Gäste auf der ›Melanie‹, zwei Mädchen kicherten, einer der Kartenspieler schaute sie fragend an und fast sofort wieder weg. Gegen die Scheiben schlugen Wassertropfen, als das Schiff anfuhr. Gesa sagte, ich krieg keine Luft hier, ich geh nach draußen, und Moritz folgte ihr die kurze Treppe hinauf aufs Deck.

Sie beugten sich über die Reling, sahen in die Gischt, auf das Wasser, das sich, undurchsichtig wie schwarze Folie, zu kleinen Wellen aufbäumte, die rote Stadt erst zu ihrer Linken, dann in ihrem Rücken; sei zuvor die Zeit des Herings gewesen, sagte der Kapitän, sei nun die Zeit der Flunder gekommen, weil – drei Mädchen stellten sich neben sie und redeten laut, Gesa sah Moritz an, der zuckte mit den Schultern. Vor einer Brücke wurde der mit bunten Wimpeln getakelte Mast heruntergefahren, auf halber Höhe blieb er schräg über ihnen stehen, nach der Durchfahrt richtete er sich knirschend wieder auf. Moritz zeigte auf das verblasste Schild einer Fischkonservenfabrik. Hier, sagte er, haben wir in den Schulferien gearbeitet – er hob beide Hände vor ihr Gesicht, als wollte er sie stoßen –, gestunken haben die, sagte er, den ganzen Sommer über roch ich nach Thunfisch und Sardinen. Bis Stralsund wirklich schön ist, wird es noch einige Jahre dauern, sagte er später, noch gebe es für ihn und seine Kollegen viel zu tun, Ter Metten heiße das Immobilienbüro, du hast bestimmt schon unsere Plakate gesehen, sie hängen überall. Vielleicht, sagte Gesa, kann sein. Der Wind war inzwischen stärker geworden, brachte Regen mit sich, steile Wogen, eine Frau in einer blauen Windjacke ließ sich auf einen der an Deck stehenden Plastikstühle fallen, eine Hand an den Hals gelegt; man muss einfach, dachte Gesa, einen Punkt fixieren, den gelben

Kran am Ufer, den Stapel verrosteten Metalls dahinter, das breite Tor in der Betonhalle der Werft, die Deutschlandfahne am Bug des Schiffes, den orangeroten Rettungsring, die Augen von Moritz. Dir ist das alles natürlich nicht fein genug, sagte er gerade, du bist ja Besseres gewohnt. Er aber liebe die Stadt. Er lachte spöttisch, sah sie dann unschlüssig an, was wisse sie schon von dieser Gegend, nichts, sagte er, gar nichts. Mit einer Hand griff Gesa nach seinem auf die Reling gestützten Arm, wie knochig er sich anfühlte, mir ist schlecht, sagte sie, ich bin wohl doch nicht seefest.

Sie legte den Kopf auf den Rand des karierten Sitzes, keine Kopfstütze, aber Moritz fuhr langsam, über die Brücke, die Stralsund mit Rügen verband, zwischen den Wiesen hindurch, den hochstämmigen Bäumen mit den Wipfeln wie ausladende Nester, den roten Blumen, alles schön und harmlos und so, als sei es immer schon genau so gewesen, vor zehn, vor zwanzig, vor dreißig Jahren, weiter zurück konnte sie nicht denken, als ob alles mit mir erst angefangen hat, dachte sie; ein gelbes Feld, ein blaues und weißes, Raps, sagte Moritz, Kornblumen und Schafgarbe, als sie ihn fragte, was für Blumen das seien – und das und das?

Was machst du beim Theater?, fragte er, da hatte sie sich gerade an die Stille gewöhnt und die Augen geschlossen und den Kopf ganz leicht auf der Rückenlehne hin und her rollen lassen. So dies und das, sagte sie zögerlich, aber er schien tatsächlich interessiert, wandte ihr sogar kurz sein Gesicht zu, trotz der kurvigen Straße und des bei jedem Bremsen aufheulenden Motors. Eigentlich, fuhr sie fort, bin ich Regieassistentin, oder eher gesagt: die Assistentin des Regieassistenten, und das heißt, weniger als nichts, nicht einmal Mädchen für alles, sondern nur Mädchen fürs Teekochen, Mädchen fürs Aufräumen, fürs Requisitenordnen. Sie verstummte und betrachtete im Seitenspiegel ihr Gesicht. Dabei, sagte sie dann, habe ich schon Ideen, ich hätte – sie klang jetzt sehr bestimmt – keine Angst vor einem Skandal, im Gegenteil: Ich würde ihn herbeiführen. Hmm, machte Moritz, dann lachte er, und Gesa rief, ja, ist doch so, und lachte auch und sah ihn dabei an, Theater muss radikal sein, oder?, und Moritz sagte: Hast du den Wegweiser eben gesehen, Poppelvitz, immer wenn ich hier vorbeifahre, muss ich lachen. Über Garz, Sehlen, Bergen und Granitz gelangten sie nach Sellin, fuhren an mehrstöckigen Häusern mit weißen Holzfassaden und Butzenscheiben, mit Türmchen und grauen Schieferdächern vorbei, eine Puppenwelt, dachte Gesa, und tatsächlich fuhr rechts von ihnen nun eine Dampflok, einen lauten Pfiff ausstoßend und Qualm, der einen Moment lang wie ein Schleier in der Luft über den roten und grünen Waggons hängen blieb. Der Rasende Roland, sagte Moritz. Aha, sagte Gesa und sah sich nach dem Zug um, rasend nennt ihr das also, und Moritz sagte sehr sanft, nun ja, das ist natürlich der Witz, und zog die Augenbrauen in die Stirn und sah geradeaus. Gesa merkte, wie ihr das Blut ins Gesicht schoss. Alles klar?, fragte Moritz, und sie nickte, alles klar, und er kehrte ihr sein Gesicht zu, das Kräuseln der Lippen, das man vielleicht mögen könnte, wie die Schlupflider und die Finger mit den spitzen Knöcheln, die das Lenkrad umfassten. Das gelbe Schild, Göhren, kurz danach das Meer zwischen den Wiesen. So, sagte Moritz.

Die Seebrücke mündete in zwei schmale, tiefer gelegene Stege, die wie die Klingen einer Schere auseinanderstrebten; beide Stege waren für Angler reserviert, von hier ließen sie ihre Angelruten ins Wasser hängen, während sie mit einer Hand den Inhalt ihrer an Werkzeugkisten erinnernden Plastikköfferchen sortierten, die Haken und Schnüre und Köder, oder aufs Wasser sahen, ohne die neugierigen Blicke der von der Seebrücke herabschauenden Touristen zu beachten. Er habe, sagte Moritz, ein einziges Mal geangelt; den Fisch, eine Flunder, vom Haken zu nehmen und mit dem Kopf auf den Boden zu schlagen, sei ihm fast nicht möglich gewesen, das zappelnde Tier, das ihm aus der Hand rutschte und auf dem Boden weiterzuckte, und der Vater, der rief: Töte es, lass es nicht leiden! Mitleid, sagte Moritz, sei es nicht gewesen, innerlich sei er ganz kalt geblieben, aber geekelt habe es ihn, den Fisch an der Schwanzflosse zu packen und gegen einen breiten Stein zu schlagen, so fest, dass das Zucken aufhörte.

Es war eine Bucht; wenn man die rechts und links ins Wasser ragenden Steilhänge und die gebogene Uferlinie des Strandes betrachtete, war es eine Bucht. Sie hatten die Hosen hochgekrempelt, trugen ihre Schuhe in der Hand, Kinder liefen zwischen ihnen hindurch zum Wasser, tasteten sich langsam vor, bis zu den Knien, den Hüften, bis zum Bauch, und manche breiteten dann die Arme aus und warfen sich mit einer ersten, noch in der Luft ausgeführten Schwimmbewegung nach vorne. Vier Jungen, die ihnen entgegenkamen, küssten die Luft, als sie mit Gesa auf gleicher Höhe waren, einer pfiff leise; sie drehte sich um und sah, dass die Jungen stehen geblieben waren und ihr nachschauten. Endlich verlangsamte Moritz seinen Schritt. Siehst du die Steine dort?, fragte er und deutete auf zwei am Boden liegende dunkle Steine mit weißen Flecken, Mulden und Löchern. Hühnergötter, sagte er, hob einen der Steine auf und gab ihn Gesa, das sind Glücksbringer. Gesa befühlte den harten weißen Belag und schob den rechten Zeigefinger durch das Loch in der Mitte des Steines. Ein kniehoher Hund mit kurzgeschorenem Fell und über den Augen wippenden Haarbüscheln stellte sich vor sie hin und jaulte leise, den Blick auffordernd auf den Stein in ihrer Hand gerichtet. Du musst ihn werfen, sagte Moritz, der will spielen. Gesa zögerte. Das Jaulen des Hundes war inzwischen lauter geworden. Nun wirf doch!, rief Moritz, und Gesa fragte, wohin?, und warf, da der Hund mit einem Satz auf sie zugesprungen kam, im gleichen Moment den Stein, schleuderte ihn von sich, ins Wasser hinein, und der Hund rannte hinterher, blieb jedoch bald schon stehen, blickte mit aufgerichteten Ohren an die Stelle, wo der Stein versunken war, drehte sich schließlich zu Gesa um und bellte hilfesuchend. Bevor er noch einmal zu ihr kommen konnte, lief Gesa weiter. Aus einigen Metern Entfernung beobachtete sie Moritz, der einen Ast vom Boden aufgehoben hatte und mit dem knurrenden Hund darum rang. Geh ruhig schon vor, rief er, ich komme gleich!, und Gesa nickte und ging an einer Sandburg vorbei und an zwei blonden Mädchen, die einen Jungen bis zum Hals vergraben hatten und nun den Sand mit Wasser besprenkelten, das sie in einem Plastikeimer aus dem Meer holten.

Du hast Angst vor Hunden, stellte Moritz fest, als er, ein wenig verschwitzt, ein wenig außer Atem, bei ihr angelangt war, und Gesa sagte: Ja, auch vor Hunden. Auch?, fragte Moritz und drehte seine Schuhe mit der Öffnung nach unten, so dass ein kleiner Schwung Sand herausrieselte, wovor denn noch? Gesa überlegte, sagte, ach, das Übliche, zählte schließlich auf: Vor Wespen, davor, einmal vom Blitz erschlagen zu werden, vor Misserfolgen und Krankheiten, vor giftigen Pilzen – als Kind, erzählte sie, habe sie die Pilzgerichte nur mitgegessen, um nicht alleine zurückzubleiben –, vor dunklen Parks, in denen es knackt, und du weißt nicht, was das ist. Sie schob die Unterlippe vor und dachte nach. Vor Langeweile, sagte Moritz leise, nicht wahr, Langeweile macht dir Angst, da möchtest du davonlaufen; er lachte und Gesa dachte: Nie lacht er so, dass man mitlachen möchte.

Der Strand hatte sich zusehends verengt, um über die vor ihnen liegenden Felsbrocken zu klettern, mussten sie die Schuhe wieder anziehen. Pass auf, sagte Moritz, die Felsen sind feucht, und Gesa nickte und setzte die Füße vorsichtig, wohin, fragte sie, gehen wir denn?, und Moritz sagte: Wart's ab. Nur ein Stückchen noch.

Zwischen den Steinen konnte Gesa das Wasser sehen. Auf den Vorsprüngen und in den Ritzen des weißen Steilhangs wuchsen schüttere Büsche, die wie mit einer Staubschicht überzogen waren. Er habe so ziemlich alles gehört über ihre Zeit in München, über die gemeinsame Wohnung, oberstes Stockwerk, nahe des Viktualienmarktes, das kleine Zimmer für Marion, das größere für

Gesa, Küche, Wohnzimmer, Bad und die Terrasse, mit den zahllosen Pflanzenkübeln, dem selbst gebauten Grill, den Stühlen vom
Sperrmüll, sechs Stück und nur zwei davon identisch, diese idylli-
sche Dachterrasse inmitten der Stadt, sagte er ironisch, während er
vor ihr herging – den Blick nach unten gerichtet, man musste darauf achten, nicht mit einem Bein zwischen die Felsen zu geraten –,
auf der sie im Sommer manchmal geschlafen hätten, die Sterne
über, und irgendwen, er sagte: irgendwen, und er sagte es abfällig,
neben sich, immer einen neuen, heute den, morgen den, er grinste,
wer will da kleinlich sein, Hauptsache, man hat seinen Spaß und es
ist nicht langweilig.

Sie hatten inzwischen den Steilhang umrundet, und vor ihnen lag das Meer, sehr offen, sehr gefällig. Rechts von ihnen, auf einer weit ins Wasser ragenden Landzunge, stand ein Turm aus rotem Stein, mit einigen kleinen Fenstern und einer Kuppel aus
dunklem Glas. Das ist es also, sagte Gesa, du denkst, ich hätte einen
schlechten Einfluss auf Marion, jetzt verstehe ich. Sie lachte, während sie vom letzten Felsen auf den Kieselstrand sprang. Da
brauchst du keine Angst zu haben, sagte sie, und Moritz sah sie
nicht an, sah vielmehr mit zusammengekniffenen Augen in die
Sonne und sagte: Ich habe keine Angst vor dir.

Er sei Marion in Berlin begegnet, erzählte er, Freunde habe
er besucht, er sei müde gewesen nach der kurzen Nacht, aber als
einziger schon wach, und da sei sie zum Frühstück gekommen,
Brötchen in einer Tüte, Croissants, Laugenbrezeln. Ich habe, sagte
er, sofort gewusst, dass wir füreinander bestimmt sind. Er glaube
an so etwas. Sie könne ruhig lachen. Aber Gesa lachte nicht. Sie änderte nur ihre Sitzposition, weil einer der Kieselsteine sie drückte.
Vielleicht sei er altmodisch, sagte er, doch für ihn sei Liebe immer
schon etwas Ernsthaftes gewesen. Alle seine Freunde hätten früh
geheiratet, manche hätten Kinder, die jetzt in die Schule kämen; so
war das früher hier, sagte er, und so ist es heute eben immer noch.

Gesa nickte und grub ihre nackten Zehen in die weißen Kiesel, und Moritz sah ihr dabei zu, zog dann seine Schuhe aus und stieß seine Füße auch nach vorne, unter die Steine, kühl ist das, sagte er und Gesa sagte, ja, und sah seine Füße an, doch die Zehen steckten unter den Kieseln, ob er wirklich Schwimmhäute hatte, konnte sie nicht erkennen.

Vielleicht habe er ja Recht. Vielleicht kenne sie diese Begeisterung nur deshalb nicht, weil sie Angst habe. Vor der Langeweile?, kam sie seiner Frage zuvor. Mag sein. Und trotzdem. Sie hatte eine Hand voll Steine aufgenommen und sie, während sie sprach, einen nach dem anderen mit einem leisen Klacken zu Boden fallen lassen, nun sah sie Moritz an, der ihren Blick erwiderte. Trotzdem sei es furchtbar, jedes Mal.

Vier Personen gingen zum Turm, Gesa konnte sehen, wie sie in einer Reihe liefen, der Pfad zum Turm musste schmal sein, und war das nicht ein Kind, das der Gruppe voranlief? Sie legte sich eine Hand über die Augen, blickte angestrengt zur grün gesäumten Landzunge, und Moritz fragte, was ist furchtbar?, seine Stimme klang diesmal nicht gereizt, er fragte, was ist furchtbar?, und er würde die Frage wiederholen, bis sie antwortete, bis sie sagen würde, dass es furchtbar sei, die Briefe und Tickets und Bierdeckel mit einem lächerlichen Stück Kordel zusammenzubinden, um sie irgendwann irgendwem zu zeigen, dass es furchtbar sei, sich verkneifen zu müssen, eine Freundschaft vorzuschlagen, und den Eltern zu sagen, dass man sich wieder einmal getäuscht habe, bloß um zu hören, der Richtige komme sicher noch, und dabei zu wissen, dass sie denken, aber hoffentlich bald, weil es sonst zu spät ist für Enkel; dass es furchtbar sei, dem anderen in der Stadt zu begegnen, sich kurz zu unterhalten oder auch nicht – und dann das Komische daran, immer wieder am eigenen Vorhaben zu scheitern wie ein über sich selbst stolpernder Clown, über den man nur aus Verlegenheit lacht –, dass all das furchtbar sei.

In der U-Bahn zu fahren, gerade wenn man eine Sache beendet hat, sagte sie, und dann sitzen zwei hinter dir, ihr sitzt Rücken an Rücken, weißt du wie? Moritz nickte. Und du kannst sie nicht sehen, aber ihre Küsse hörst du, und dann wird es still und du denkst schon, das war's, aber dann merkst du, jetzt küssen sie sich erst richtig, und du stellst dir vor, wie das Mädchen sich über den Jungen beugt und ihn küsst, vorbildlich küsst, fast wie im Film, und dann schaust du zum Fenster raus, aber nun hörst du sie erst recht, und es klingt, als ob da jemand etwas esse, manchmal knackt ein Kiefer und jemand seufzt, und das, sagte Gesa, das ist dann furchtbar.

Moritz legte Daumen und Zeigefinger an seinen Mund, fuhr sich mit beiden Fingern über den Bart, immer wieder, er sah nachdenklich auf den Boden, er wirkte kleiner als sonst, fast ein wenig mickrig. Die Gruppe war soeben beim Turm angekommen und nun aus Gesas Blickfeld verschwunden, dafür fuhr jetzt, nicht weit vom Ufer, ein Dampfer vorüber, der Kurs auf Göhren hielt, und ein Segelschiff, das sich in entgegengesetzter Richtung vor den Dampfer schob und ihn einige Sekunden lang wie eine mächtige Rollkulisse aussehen ließ. Moritz schaute sie an, schluckte einige Male, sein Adamsapfel hüpfte auf und ab, und noch bevor er sich räuspern und ihr, aufmunternd und ratlos, zunicken konnte, wusste sie plötzlich – und es war klar und unfraglich und sie würde nichts daran ändern können –, dass es dies war, worauf die vergangenen Jahre, all die gescheiterten Versuche, zugelaufen waren: hier mit ihm zu sitzen. Er lächelte, er sagte, heute Abend ist Polterabend, und sie sagte, ja, aber ich habe kein Geschirr, stell dir vor, nicht einen Teller, nicht eine Tasse. Er nickte und sagte: Ich weiß, ich werde mich um dich kümmern. Und es war ein Versprechen.

Um ins U-Boot zu gelangen, das auf der Wiese vor der Schiffsbauhalle stand, mussten sie die Leiter hochklettern, Moritz ließ Gesa vorangehen und sie folgte dem rothaarigen Mädchen, das seinen Eltern noch von der ersten Sprosse aus gewunken und zugerufen hatte, ich schau mal rein!, und gelangte in den ersten von drei Räumen, mit einer Dusche in der einen und einem Schrank in der anderen Ecke, aus dessen Schiebetür das schwarze Bein eines Taucheranzugs heraushing. Im zweiten Raum waren ein Arbeitstisch, eine winzige Toilette und ein silbernes Waschbecken untergebracht, ein Hocker stand vor dem Bullauge, hinter dem der Reusenplatz und ein Kleinkutter sichtbar wurden; vom Meer aus, erinnerte sich Gesa, hatten die Geräte um die hölzerne Halle wie ein Haufen Schrott ausgesehen. Moritz stand schon vor der Schalttafel im Kojenraum, schau dir das an, rief er und zeigte, als sie bei ihm ankam, auf die Knöpfe und Hebel, die Geschwindigkeitsmesser und Barometer. Hier, erklärte der Junge, der hinter Gesa in den Raum geklettert war, mit prahlerisch vorgerecktem Kinn, stand der Kapitän und lenkte das Schiff. Mit einem Finger strich er über einen roten Knopf. Drück mal drauf, sagte Gesa, und der Junge schaute sich unsicher um, zögerte einen Moment, dann drückte er den Knopf. Passiert nichts, stellte er fest und kletterte zurück in den Mittelraum des U-Bootes. Stell dir vor, hier zu schlafen, sagte Moritz, diese schmalen Kojen, vier unter- und nebeneinander, er lachte, da muss man sich schon mögen, mit einer Hand strich er über eine der Matratzen, stell dir das vor, wiederholte er und sah den grün gestreiften Bezug an, und Gesa dachte: Wir ziehen die Leiter ein, schließen die Luke, versinken im Meer.

Weißt du noch, in Florenz, sagte Gesa am Abend zu Marion, die sie untergehakt und reihum vorgestellt hatte, erinnere dich doch, sagte sie und klopfte einige Male mit der flachen Hand auf den Tisch, der Junge, der blonde Franzose, und Marion sagte: Wie hieß der gleich, Alain, Julien, was ist denn mit ihm? Du hast ihn geküsst, sagte Gesa, an unserem letzten Abend – ihre Stimme war anklagend –, obwohl ich mit ihm zusammen war. Ja, sagte Marion, ja, mag sein, das ist so lange her, ich weiß es nicht mehr genau. Sie winkte einer Freundin zu, die sich mit einem Teller in der Hand ans

Buffet stellte. Ich muss nach dem Essen schauen, sagte sie, kommst du mit? Und ich habe dir vergeben, erinnerst du dich, sagte Gesa, und Marion nickte ernst und sagte, ich weiß, und wusste es vielleicht tatsächlich. Gesa trank ihr Glas leer und stützte sich mit einer Hand am Tisch ab. Ihr war schwindlig. Ich bin albern, schrecklich albern, dachte sie und schaute Marion hinterher, die so schön aussah, wie sie durch den Raum ging, als habe sie ein Ziel, und trotzdem alle Augenblicke stehen blieb, um ein paar Worte mit jemandem zu sprechen und dabei ihre Hand ganz leicht auf den Arm des anderen zu legen, alles nur Einbildung, dachte sie, und dann brachte ihr Moritz eine Kaffeekanne aus mattweißem Porzellan, mit einer langgezogenen Tülle, die kannst du zertrümmern, sagte er, und sie nahm die Kanne aus seinen Händen und ließ sie sofort zwischen ihnen fallen, aber nur der Henkel brach ab und der Deckel mit dem zwiebelförmigen Griff fiel von der Kanne und rollte zwischen ihre Füße. Moritz hob die Kanne auf, das Porzellan war am Ausguss abgesplittert, und war das nun ein gutes oder ein schlechtes Zeichen, dass die Kanne heil geblieben war?, noch einmal, sagte er, und diesmal zerbrach sie.

Morgen werde man sich unterhalten können, sagte Marion beim Abschied, und Gesa sah Moritz an, wie er neben Marion stand und ihren Blick aushielt, sie sagte, morgen, aber hast du denn dann Zeit?, und weinen hätte sie mögen, als Marion sagte, du sitzt doch beim Essen neben mir, und gell, dass du nicht böse bist, dass ich so wenig Zeit hatte. Nein, sagte Gesa, nein, gar nicht.

Das Taxi war noch nicht gekommen. Moritz gab ihr sein Jackett, eine Brise ging, morgen, sagte er, werde es schön, er sah sie dabei nicht an, der Wind gehöre nun einmal zur See, es klang, als wollte er sich verteidigen. Dann sagte er nichts mehr, betrachtete seine braunledernen Schuhe, und Gesa lauschte auf die Geräusche, die aus dem Garten des Gemeindehauses kamen, die Schritte, die sich entfernten. Warum bloß fiel ihr nichts ein, was sie sagen konnte? Dass es ihr leid tue, dass sie Angst habe, dass sie glücklich sei, und er, würde er auch nur eine Sekunde schlafen können in dieser Nacht? Aber vielleicht war nichts von alldem wichtig. Als das Taxi um die Ecke bog, gab sie ihm seine Jacke zurück. Es gebe einen Brauch, sagte er schnell, zwischen dem Bräutigam und der besten Freundin der Braut, das Taxi hielt an, der Fahrer stieg aus, wir kommen, rief Moritz, einen Moment noch, er sagte, kennst du den Brauch?, und sie schüttelte den Kopf, ging langsam zum Auto, öffnete die hintere Tür, der Fahrer war wieder eingestiegen und fuhr mit einem Lappen über sein Lenkrad, sie setzte sich; ist gut, sagte Moritz leise, sein Gesicht so nah an ihrem, dass es ein Atmen war, ein Schauen. Hatte sie je gezweifelt?

Wann der richtige Zeitpunkt sei, überlegte sie, als sie in ihrem Hotelzimmer das Licht anschaltete, den Koffer auf die säuberlich gefaltete Bettdecke legte und einige Pullover und T-Shirts und die beiden Jeanshosen einpackte, wie für eine Flucht, dachte sie. Auf dem Weg zum Standesamt, im Saal, während der Zeremonie? Und dann? Löste sich dann die Gruppe der Gäste auf? Ging jeder für sich nach Hause und das bestellte Essen verkam? Es tut mir so leid, dachte sie.

Ankommen und am roten Haus hochblicken, mit seinen Spitzbögen und steinernen Rosetten, in alle Richtungen grüßen, sich nach der Braut umschauen, dem Bräutigam; die beiden Väter, die zusammenstehen, während die Mutter nach ihrer Tochter Ausschau hält, eine Hand im Haar und lächelnd, aber unsicher, würde sie kommen?, denn es konnte doch sein, dachte Gesa, dass Moritz bereits in der vergangenen Nacht mit ihr geredet –, und ob sie geweint hatte, natürlich hatte sie geweint, Gesa kannte ihr ungläubiges, fast regloses Weinen, aber da kamen sie ja!, da kommen sie!, rief einer, und wie ein Echo wurde es wiederholt, da kommen sie!, und von allen Seiten bestürmt, standen sie vor dem Rathaus. Marion winkte Gesa zu. Die Bänke im Trauungssaal sahen aus wie Kirchenbänke, abgeschabte, hölzerne Sitzflächen. Die Ehe sei ein Miteinander, sagte die Standesbeamtin, und jeder müsse bereit sein, hinter dem anderen zurückzustehen, wenn der gemeinsame Weg einmal eng würde. Sie erzählte eine Fabel, ein Esel, ein Pferd; ja, sagte Marion, und Gesa dachte, seltsam, und sah die Holzverzierung über dem Fenster an, die geschnitzten Totenköpfe rechts und links der Gardinenstange, im ersten Moment hatte sie an Engel gedacht, an dralle Putten, und jetzt das, lachende Totenköpfe, die den Ausblick auf das Kirchtor zum Blick in den Abgrund machten, ja, sagte Moritz, ich will, und nein, dachte Gesa, wie merkwürdig, Totenköpfe im Standesamt, das geht doch nicht. Die Ringe wurden getauscht, dann mussten die Trauzeugen nach vorne kommen und ihre Unterschrift auf das Dokument setzen, die Standesbeamtin gratulierte dem Ehepaar, nannte Marion bei ihrem neuen Namen, ungewohnt klang das, dann gratulierte sie den Eltern der Braut und des Bräutigams, und es war, sah Gesa jetzt, kein Lachen auf den Gesichtern der Totenköpfe, sondern ein Weinen. Viel Glück, sagte sie und umarmte Marion, viel Glück, sagte sie zu Moritz, der dankte und seine Braut mit einer Hand an sich zog, um seinen Mund gegen ihre Schläfe zu drücken, weil es das war, was zählte, und weil alles andere nichtig war.

Aber der Brauch, dachte Gesa, als sie Stralsund hinter sich ließ, das Kino, das Wettbüro, die Werft, die Straße mit den dunklen Teerflicken auf dem Asphalt, und was er damit gemeint hatte, was wäre gewesen, wenn sie ja gesagt hätte, ja, ich kenne den Brauch, und weiter ins Auto hineingerutscht wäre, so dass er ihr hätte nachklettern müssen, noch einen Moment, hätte er zum Taxifahrer gesagt, und dann, was wäre passiert, ein Kuss, ein eiliges Geständnis, eine Berührung, sein dunkles Haar in ihrer Hand, der Taxifahrer, der mit den Fingern aufs Lenkrad getrommelt und in den Rückspiegel geschaut hätte, wir bezahlen die Wartezeit, hätte Moritz gesagt, in ihr Gesicht hinein, ein Atmen, ein Schauen, ein gemeinsamer Verrat – da kam die Ausfahrt, sie blickte zurück, aber das Meer war schon lange nicht mehr zu sehen –; er hätte alles getan, um mich zu verletzen, dachte Gesa, und sie fürchtete sich davor, dass sie – zu einer anderen Zeit, vielleicht morgen schon oder übermorgen – über all das lachen würde.

Katzensprung

Was niemand weiß: dass Katzen ihre Seele verkaufen. Im Februar stürzen sie von Kirchtürmen, drehen sich um die eigene Achse, überlisten die Schwerkraft. Auch dies ein Zeichen.

Martin musste in dem Moment aufgeschaut haben, als sie das Café betraten. Er spähte über den Rand der Zeitung und winkte sie zu sich heran. Ob sie sich nicht zu ihm setzen wollten? Er machte eine einladende Geste über den Tisch, einen runden, kleinen Holztisch, auf dem Pfeffer und Salz standen und Zahnstocher in einem weißen Porzellantöpfchen. Warum nicht, sagte Freya. Sie sah ihren Sohn fragend an. Hendrik nickte.

Während der Junge den Kuchen aß, erzählte Martin von den letzten Monaten. Dass er mit seiner Tante im Sauerland gewesen sei. Mit ihr die Reckenhöhle besucht habe, von der sie immer geschwärmt hatte, seit sie als junges Mädchen einmal da gewesen war. Enttäuschend war das, sagte er. Wo andere die Friedenstaube entdeckten, eine Orgel, ein Eichhörnchen am Baum, sah er nichts als Stein. Nach seiner Rückkehr habe er die Wohnung renoviert. Den Stuck geweißelt. Parkett verlegt. In manchen Nächten habe das Telefon geklingelt und keiner antwortete, wenn er dranging.

Freya hatte das erste Glas Wein schnell getrunken, jetzt bestellte sie ein zweites. Martin stützte den Kopf in die Hand und betrachtete den Tisch. Wie es den anderen gehe? Dass er niemanden mehr sehe, sei schlimm. Dass sie ihn, wenn sie ihm in der Stadt begegneten, ignorierten. Einfach durch ihn hindurchschauten, als habe man sich nie gekannt, als habe man nie die Abende zusammen verbracht. Am Nebentisch saß ein junges Paar. Die Frau gab dem Mann von ihrem Essen, reichte ihm Gabeln voll Fleisch und Kartoffeln über den Tisch, fütterte ihn wie ein Kleinkind. Manchmal zog sie die Gabel weg, wenn er danach schnappen wollte. Dann knurrte er und machte ein beleidigtes Gesicht.

Martin senkte die Stimme und beugte sich zu Freya hinüber. Er habe eine Therapie begonnen. Kenne sich jetzt besser, habe sich besser im Griff. Hendrik kaute konzentriert den harten Mürbeteigboden. Freya sagte, das ist gut. Nein, sagte sie, wirklich. Die Bedienung kam, ein junges Mädchen, das die Haare violett gefärbt und zu einem hohen Zopf gebunden hatte. Unterhalb des Zopfes waren die Haare abrasiert, die Kopfhaut schimmerte hell durch die dunklen Stoppeln. Freya konnte sich vorstellen, wie es sich anfühlte, wenn man darüber strich. Ob sie kassieren dürfe? Es gebe einen Schichtwechsel. Bevor Freya nach ihrer Geldbörse suchen konnte, hatte Martin die Rechnung schon beglichen. Das Mädchen sagte, danke, und deutete einen Knicks an. Freya wusste nicht, ob sie sich über Martin lustig machte. Martin sagte, du hast mir gefehlt, weißt du. Er sah Freya nicht an. Er sagte, gib's zu, ich habe dir auch gefehlt. Hast du an mich gedacht? Manchmal, sagte Freya. Hendrik hatte seinen Kuchen aufgegessen und trank nun den Saft, die Unterlippe weit am Glasrand vorgeschoben. Manchmal oder oft?, hakte Martin nach. Er hatte die blaue Serviette vor sich auf den Tisch gelegt und knickte sie einmal in der Mitte. Dann sah er Freya abwartend an. Als sie mit den Schultern zuckte, machte er ts, ts, ts und schüttelte den Kopf. So was weiß man doch. Hendrik hielt sich eine Hand vor die Nase und begann mit dem kleinen Finger der anderen Hand zu bohren. Lass das, ermahnte Freya ihn. Sieht doch niemand, sagte er mit verzerrter Stimme. Doch, jeder, sagte Freya. Hendrik ließ beide Hände sinken und verschränkte die Arme vor der Brust.

Vier Jahre sind eine lange Zeit, sagte Martin. Er sagte langsam, als rechne er nach: Und drei davon waren gut, oder was meinst du? In seiner Stimme spürte sie eine Furcht, ein unterschwelliges Beben, wie es schreckhafte Tiere erfasst, wenn sie sich streicheln lassen. Freya hatte ihren Wein ausgetrunken und nahm ihre Tasche vom freien Stuhl. Sie öffnete sie und schaute hinein, dann schloss sie sie wieder. Wir müssen weiter, sagte sie zu Martin. Sie stand auf. Man sieht sich. Er sagte, ja, gerne, und erhob sich ebenfalls. Als Hendrik ihm auf der Straße die Hand gab, zog er ihn in eine Umarmung. Lass mal, sagte Hendrik und machte sich los. Im Weggehen drehte Freya sich noch einmal um. Martin stand vor dem Café, über ihm leuchteten rot die hohen Buchstaben, gerade als Freya sich umschaute, begann ein S zu flackern und erlosch. Ob das etwas zu bedeuten habe, überlegte sie kurz.

Vor dem Eingang von Kidstown verspritzte ein blumenförmiger Rasensprenger Wasser. Im hinteren Teil des Raumes konnte Freya eine Theke erkennen. Einige Tische und Stühle. Auf einem Plakat eine Torte mit buntem Zuckerguss. Hendrik lief ungeduldig voraus, die Rolltreppe hoch.

Im ersten Stock gab es Puppen. Pausbackige Babys, die wie echte Säuglinge aussahen. Elfenhafte Porzellanpuppen mit lockigen Haaren und üppigen Kostümen. Barbiepuppen in glänzenden Kleidern. Vor einem Fernseher saßen drei Mädchen und sahen einer tanzenden Meerjungfrau zu. Auf der Rolltreppe in den zweiten Stock stand ein Mann mit schlohweißen Haaren vor Freya, an seiner Hand ein kleiner Junge, nicht älter als fünf, sechs Jahre. Der Junge erklärte, was er suchte. Ein Zollschiff. Mit Zollhund und Zöllner. Der Mann sagte, haben die bestimmt nicht. Es klang, als wollte er sich und dem Kind eine Enttäuschung ersparen. Doch, widersprach der Junge.

Hendrik stand zwischen Panzerkreuzern, U-Booten und winzigen, rot befrackten Soldaten. An einem Ständer hingen Tarnanzüge, olivgrüne Schutzhelme und Maschinenpistolen, die echt aussahen. In der Hand hielt er einen Helikopter. Tiefblauer Plastikrumpf. Zwei schmale Rotorblätter. Schwarzes Gestänge, filigran

83

wie Spinnenbeine. Das ist es?, fragte sie. Hendrik nickte. Er stieß eines der Rotorblätter an, so dass es sich lautlos und geschmeidig drehte. Der hat gleich zwei Motoren, erklärte er. Wenn einer mal ausfällt, stürzt man trotzdem nicht ab. Mit wichtiger Miene zeigte er Freya die beiden Plastikgehäuse an Hauptrotor und Heck. Schön, sagte sie. Sie besah sich die Verpackung des Helikopters. Der Preis erschreckte sie. Sie würden das Geld an anderer Stelle einsparen müssen. Nicht essen gehen, diesen Monat. Keine Kinobesuche. Kein Halsband für die neue Katze. Sie sagte, ich warte im Parterre. Er könne sich weiter umschauen. Seine Wahl noch einmal überdenken. Sie wusste, dass er das nicht tun würde. Er würde verschiedene Spielsachen in die Hand nehmen. Sich vielleicht einen der Helme aufsetzen. Die Beschreibung eines Computerspiels lesen. Durch das Zielfernrohr des Maschinengewehrs schauen. Und sich dann am Ende doch für den Helikopter entscheiden. Er hatte schon lange davon gesprochen. Und sie hatte ihn immer auf seinen Geburtstag vertröstet. Es war sein achter, sie hatte sich den Tag freigenommen, um mit ihm zusammen zu sein. Sein Vater hatte am Morgen angerufen. Aus San Diego, wo er auf einer Tagung war. Freya rechnete nach. In Kalifornien musste es elf Uhr abends sein und immer noch der siebzehnte. Sie hörte Hendriks kurze Antworten. Hallo. Danke. Die Aufzählung der Geschenke: ein T-Shirt, eine Hose, eine Katze. Nein, sie habe noch keinen Namen. José? Das gehe nicht. Es sei eine Katze, kein Kater. Dann hörte sie ihn verschämt lachen. Als er den Tornister aufsetzte, sagte er, Kitty, wie findest du Kitty? Er sah aus, als sei ihm die Frage peinlich. Bevor sie etwas antworten konnte, sagte er rasch und endgültig: ein blöder Name.

An der Theke im Parterre holte sie sich einen Kaffee und setzte sich an einen der kleinen Tische. Die Hocker waren winzig, die Knie direkt vor der Brust. Ein batteriebetriebener Hund lief ruckweise über den blauen Kachelboden und bellte. An seinem Schwanz war ein Ballon gebunden, auf den das Logo des Ladens gedruckt war. Ein kleiner Junge ließ den Hund Kurs auf die Roll-treppe nehmen. Freya hörte etwas metallisch zu Boden fallen, dann begann ein Kind zu schreien. Der Lärm kam von einer Stelle hinter dem Regal mit Süßigkeiten. Gedämpftes Schimpfen erklang, das Kind schluchzte erneut auf. Eine Stimme neben Freya fragte, nimmst du noch einen Kaffee? Es war Martin. Dunkel und hünen-haft stand er inmitten der zwergenhaften Tische. Sie konnte sehen, dass er aufgeregt war. Sie kannte das nervöse Zwinkern, von dem sie immer angenommen hatte, es könnte sich zu einem Tick aus-wachsen. Der Hund hatte inzwischen die Rolltreppe erreicht. Die Schwelle war zu hoch, er scharrte auf der Stelle. Was ist nun, sagte Martin ungeduldig. Möchtest du einen Kaffee? Ein Verkäufer schob im Vorbeigehen den Hund mit dem Fuß in eine andere Richtung. Ja, sagte Freya.

Vor der Glastür des Ladens sah Freya eine Frau stehen. Sie rauchte eine Zigarette. Inhalierte tief. Stieß den Rauch aus wie ein wütendes Wort. Bist du uns etwa hinterhergerannt?, fragte Freya. Gerannt würde ich nicht sagen, erwiderte Martin. Was dann? Statt einer Antwort lächelte er schuldbewusst. Das konnte ein Trick sein, dachte Freya. Er musste sich erinnern, dass sie sein Lächeln ge-mocht hatte. Die jungenhafte Verlegenheit, die in seltsamem Kon-trast zu seinem oft forschen Auftreten stand. Sie merkte, dass ihm ihre Frage unangenehm war. Dass er es lieber wie einen Zufall hätte aussehen lassen. Also?, sagte sie. Ich hatte den Eindruck, sagte er und nahm die Tasse wie einen Tennisball in die hohle Hand, ich sollte dich nicht so gehen lassen. Sie sagte, aha. Ich dachte, du wür-dest dich freuen, sagte Martin. Er sah sie bei diesen Worten nicht an. Als Freya nicht antwortete, sagte er: Aber vielleicht gibt es ja längst einen anderen. Dass er es schafft, das wie einen Vorwurf klingen zu lassen, dachte Freya verwundert. Obwohl sie sich seit Monaten nicht gesehen hatten, sprach er so vertraut mit ihr, als glaubte er an ein Gewohnheitsrecht. – Was er denn wolle? Dich, sagte er schlicht. Ein Mädchen, zart wie eine Pflanze, rannte an ihrem Tisch vorbei, ein strahlend weißes Einhorn schlenkernd, das sie an einem Bein hielt. Weißt du eigentlich, was für ein Tag heute ist?, fragte Freya. Freitag, sagte Martin und wirkte für einen Moment irritiert, Freitag, der achtzehnte. Er runzelte die Stirn. Ein Jahrestag? Ein weltpolitisches Ereignis? Nein, sagte Freya. Sie wusste, dass ihre Stimme, wenn sie nicht aufpasste, triumphierend klingen würde. Sie sagte, nein, Hendriks Geburtstag. Und, fragte sie mit spöttischer Freundlichkeit, hast du eine Ahnung, der wievielte? Martin war auf seinem Sitz zusammengesunken. Der neunte? Statt einer Antwort lachte Freya böse auf. Siehst du, das ist auch so ein Grund. Dass du Hendrik nicht magst. Aber ich mag ihn doch, versuchte Martin eine Verteidigung. Ach ja? Sie drehte sich von ihm weg und beobachtete eine Frau, die ihrer Tochter die Schuhe zuband. Sie spürte, dass ihr Triumph in Trauer umzuschlagen drohte. Wo ist er denn überhaupt?, fragte Martin jetzt. Oben, sagte Freya und machte eine Kopfbewegung zur Rolltreppe. Lass uns nach ihm schauen, sagte Martin. Er wolle ihm gratulieren. Ihm ein Geschenk kaufen. Wenn nicht hier, wo dann, sagte er und lachte bereits wieder.

Im zweiten Stock hatte sich inzwischen ein Zauberkünstler eingefunden. In der Mitte des Raumes stand er, einen Zylinder auf dem Kopf und einen mit bunten Tüchern, Kegeln und einem weißen Plüschhasen gefüllten Korb neben sich. Aus dem Kreis der Kinder, die ihn umstanden, wählte er sich soeben eine Assistentin aus, ein dickes Mädchen mit breiten, dunklen Augenbrauen. Der Zauberer präsentierte seinen leeren Zylinder und setzte ihn dem Mädchen auf den Kopf. Als er den Hut herunternahm, fielen Samtrosen über Kopf und Schultern des Mädchens. Das Kind sah für einen Moment erschrocken aus. Dann bückte es sich, um die Blumen einzusammeln. Die anderen Kinder lachten und klatschten. Hendrik war nicht unter ihnen. Vielleicht ist er bei den Modellautos, sagte Freya. Sie suchten ihn zwischen den Autos, den Flugzeugen und

Schiffen. Sie gingen zu den Gestellen mit den Computerspielen. Den Brettspielen. Den Armee- und Westernutensilien. In der Sportabteilung liefen sie zwischen Bällen, Eishockeynetzen, Reithelmen und Tennisschlägern umher. Schließlich fuhren sie in den ersten Stock. Schauten zwischen den Regalen mit Puppen und Stofftieren, Barbies und Märchenbüchern nach. Hier wird er doch sicher nicht sein, sagte Martin. Freya zuckte mit den Schultern. Sie blieb kurz vor dem Fernseher stehen, in dem vorhin die Meerjungfrau getanzt hatte. Jetzt waren darin Playmobilfiguren zu sehen, die sich in Windeseile zu vermehren schienen, während um sie herum eine Welt aus Plastik entstand. Martin kam aus einem der Gänge und schüttelte den Kopf, als er ihrem fragenden Blick begegnete. Aber wo kann er denn bloß sein, sagte sie. Sie spürte, wie Panik sie überfiel. Sich in ihrem Bauch ausbreitete. Schwer und kalt wie frischer Beton, der sich gleich – in Sekundenschnelle, unwiderruflich – verhärten würde. Er muss doch irgendwo sein! Sie eilte die Rolltreppe hinauf. Drängte sich vorbei an den Kindern. Lief noch einmal die Gänge ab. Hinter Ritterburgen und Modellbaukästen erblickte sie ein kleines, durch eine Glaswand vom übrigen Raum getrenntes Zimmer, das sie bisher nicht bemerkt hatte. Zwei Mädchen, kaum älter als Hendrik, saßen darin. Als sie die Tür öffnete, konnte sie die Stimme hören, die aus einem Lautsprecher ertönte. Eine tiefe, geduldige Stimme. Ein Märchenerzähler. Sie schlug die Tür hinter sich zu. Rannte die Treppe in den ersten Stock hinunter. Sie war eine schlechte Mutter, war es immer schon gewesen. Während sie vom ersten Stock ins Parterre lief, fiel ihr ein, wie fremd ihr Hendrik in den ersten Monaten gewesen war. Wie gerne sie das Kind ihrem Mann überlassen hatte. Stundenlang hatte sie sich damals in der Stadt herumgetrieben. War spazieren gegangen. Hatte sich mitten im Winter auf eine Parkbank gesetzt, unfähig aufzustehen und zu ihrem Kind zu gehen. Wenn sie spätabends, verfroren und reumütig, nach Hause kam, hatte sie das Baby geweckt. Es in den Armen gehalten. Es mit Küssen überhäuft. Seinen kleinen, warmen Körper an sich gedrückt, bis es, von Müdigkeit gequält, aufschrie. Sie erinnerte sich an einen Traum, den sie in den ersten Monaten nach Hendriks Geburt mehrfach geträumt hatte und in dem sie das Baby immer irgendwo liegen ließ, im Garten, auf einem Spielplatz, in einem hohen, schmalen Turm, in den sie aus ungeklärten Gründen geraten waren. Das Gefühl, das sich einstellte, war stets dasselbe: ein ungeheurer Schreck und gleich darauf eine fatalistische Gleichgültigkeit angesichts des nie wieder gutzumachenden Fehlers. Auch jetzt mischte sich in ihre Angst eine große Taubheit. Noch während sie fieberhaft suchte, wusste sie, dass es sinnlos war. Sie hatte Hendrik verloren. Sie würde ihn nicht mehr finden.

Zwischen den Tischen des Cafés kam ihr Martin entgegen. Er packte sie an den Armen, ruhig, sagte er beschwichtigend, hörst du, ganz ruhig. Sie spürte seinen Griff. Sie flüsterte, er ist weg, die Angst ließ ihre Stimme kippen. Du wartest jetzt hier, bestimmte Martin und nötigte sie, sich auf einen der kleinen Hocker zu setzen. Du hältst die Augen offen, und ich gehe zur Information, in Ordnung? Freya nickte und umklammerte ihre Knie. Martin beugte sich zu ihr herab und umfasste ihr Gesicht mit beiden Händen. Er wird wieder auftauchen, glaub mir. Für Sekunden war er ihr so nah, dass sie nur Einzelheiten an ihm wahrnahm: Die geröteten, ziemlich kleinen Augen. Die schmalen Lippen, die sich langsam über den Zähnen schlossen. Zwei senkrechte Falten, kaum mehr als dunkle Linien, dünn wie Pinselhaare. Ja, sagte sie.

Von ihrem Hocker aus konnte sie beobachten, wie Martin zur Information ging. Die Frau hinter dem Pult lehnte sich vor, um ihn zu verstehen. Dann sprach sie in ein Mikrofon am Rand des Tisches, und Freya konnte die Durchsage hören, mit der Hendrik zum Kundenservice im Erdgeschoss gerufen wurde. Sie legte das Gesicht in beide Hände. Wollte nichts sehen, wollte nicht hören, wenn die Durchsage wiederholt werden müsste. Einmal, zweimal. Und was geschähe dann? Würden sie die Polizei verständigen?

Als sie wieder aufschaute, sah sie Hendrik neben Martin am Tresen der Information stehen. Die Frau sagte etwas zu ihm, und Hendrik steckte beide Hände in die Hosentaschen und sah verlegen zu Boden. Martin legte ihm lachend eine Hand in den Nacken und schüttelte ihn sacht wie einen ungehorsamen Welpen. Dann sahen alle drei in ihre Richtung, und Freya konnte erkennen, dass Hendrik stolz war auf sein Abenteuer und gleichzeitig Angst hatte vor ihrer Reaktion. Sie stand auf und ging zu ihm hin. Drückte seinen Kopf an ihren Bauch. Ob er verrückt geworden sei, sie so zu ängstigen? Ob er nicht wisse, wie sie sich dann fühle? Sie küsste ihn auf den Kopf, roch den vertrauten Geruch seiner Haare. Mach das nie mehr, hörst du? Ja, sagte Hendrik und drehte sich aus ihrer Umarmung heraus. Klar.

Hendrik hielt eine große Tüte in der Hand, in der der Helikopter war und ein Spiel, das Martin ihm gekauft hatte und in dem es darum ging, möglichst viele Burgen zu erobern. Es dämmerte schon, die Luft war kalt. Freya dachte, jetzt sollte Schnee fallen. Richtig dicke Flocken, wie im Bilderbuch. Martin fragte, warum lachst du?, und Freya sagte, habe ich gelacht? Sie liefen die Einkaufsstraße hinunter zum Bahnhof. Hendrik in der Mitte. Hinter seinem Rücken hatten Freya und Martin die Hände ineinander verschränkt. Freya hatte das Gefühl, dass ihnen nichts geschehen konnte, solange Martin bei ihnen wäre. Aber alles, wenn er sie jetzt verließe. Als sie am Bahnhof ankamen, sagte sie, du hast nicht zufällig Lust auf ein Abendessen? Martin fragte, wann ist dir das eingefallen, jetzt gerade oder schon früher?

Nach dem Essen spielten sie mit der Katze. Hendrik hatte sie aus seinem Zimmer geholt, wo sie sich unter dem Bett verkrochen hatte. Das tue sie immer. Sich verkriechen, wenn jemand komme. Und dann doch spielen. Freya sagte, was heißt schon immer? Wir haben sie erst seit einer Woche. Auch ein Geburtstagsgeschenk. Sie sah Martin an. Wie er mit der Katze spielte. Die Papierserviette in Streifen riss und die Katze nach den flatternden Fetzen schlagen ließ. Wie er sie in eine Hand nahm und mit dem Zeigefinger vorsichtig über ihre zimtfarbene Stirn strich. Die winzigen Ohren kraulte. Wie alt ist sie?, fragte er. Freya sagte, drei Monate, glaube ich, und Hendrik korrigierte sie – zweieinhalb – und fügte hinzu: Aber sie gehört mir. Sie spielten mit der Katze, bis sie müde war und auf Martins Schoß einschlief, ein kleines rotes Knäuel, das im Schlaf mit den Pfoten zuckte.

Als sie Hendrik zusammen ins Bett brachten, hatte Freya das Gefühl, dass es genau so sein sollte. Dass das, was sie hier taten, echt war. Sie erinnerte sich an die Jahre, die sie zusammengelebt hatten. War es da nicht so gewesen? Oder zumindest ähnlich? Natürlich war Martin nicht der Vater von Hendrik. Aber ein großer Freund. Vielleicht hatte sie zu früh aufgegeben.

Und jetzt?, fragte Martin. Er hatte den Tisch abgedeckt und das Geschirr in die Spülmaschine geräumt, während sie im Badezimmer war. Sie lächelte. Und jetzt, sagte sie, könntest du nach Hause gehen. Er sah sie überrascht an und schien zu überlegen, ob sie meinte, was sie sagte. Oder aber, sie ging einen Schritt auf ihn zu, du könntest bleiben. Für eine Nacht?, fragte er. Ja, sagte sie und dachte: Vielleicht für länger. Kurz sah sie sich von außen, wie sie sich küssten, seine Hände an ihrem Rücken. Sie gingen ins Schlafzimmer, eng umschlungen, sie stolperten. Die Katze sprang vor ihnen weg. Sie fielen aufs Bett, in einer einzigen, verlangsamten Bewegung, einem endlosen Fall. Freya stand noch einmal auf, um die Tür zu schließen. Martin sagte, komm wieder her, jeder Meter zwischen uns ist einer zu viel. Sie setzte sich auf die Bettkante und betrachtete ihn. Sein Gesicht auf ihrem Kissen, sein Lächeln. Sie sagte, was du doch für ein Romantiker bist. Martin zog ihren Kopf zu sich heran und küsste sie. Dass du das endlich erkennst, flüsterte er.

Stell dir vor, wir würden das Haus nur noch verlassen, wenn wir unbedingt müssten. Um zum Arzt zu gehen. Oder um Essen zu kaufen. Martin tunkte das Brot in seinen Milchkaffee. Das Essen kann man sich kommen lassen, wandte Freya ein. Ja, sagte Martin. Dann halt, wenn wir zu einem Amt müssten. Oder zur Post. Und in der Zwischenzeit?, fragte Freya. Martin lehnte sich gegen die Wand und kreuzte die Beine. In der Zwischenzeit würden wir einfach im Bett bleiben, sagte er. Würden essen, trinken, schlafen. Sex haben. Mit der Katze spielen. Einmal die Woche würden wir das Radio anstellen. Vielleicht würden wir erfahren, dass die Welt inzwischen untergegangen ist. Nur wir wären noch hier. Er lächelte, dann schlug er mit der flachen Hand auf die Decke vor sich. Hopp, sagte er, und die Katze machte einen Sprung aufs Bett und reckte den Hals. Und Hendrik?, fragte Freya. Der, sagte Martin, während er die Katze kraulte, wäre brav und würde jeden Morgen zur Schule gehen. Er gähnte und streckte die Hand nach Freya aus. Wäre doch schön. Ja, sagte Freya langsam, schon. Was ist?, fragte Martin. Er gab der Katze einen Schubs, so dass sie vom Bett rutschte, drehte sich auf den Bauch und sah Freya forschend an. Was passt dir denn daran nicht? Er lächelte, doch zwischen seinen Brauen stand eine senkrechte Falte. Weiß auch nicht. Sie verschränkte die Hände ineinander und ließ die Knöchel knacken. Ich glaube einfach, mir wäre das zu langweilig. Ach ja, sagte Martin. Tatsächlich. Er nickte einige Male. Dann warf er ihr einen müden, traurigen Blick zu. Ob sie eigentlich wisse, was sie da sage. Ob sie sich dessen bewusst sei. Er klang so sanft, als rede er mit einem störrischen Kind. Was meinst du?, fragte Freya. Martin hatte sich inzwischen aufgesetzt, jetzt stellte er sich, nackt wie er war, vor das Bett. Was er meine? Er sagte: Willst du das wirklich wissen? Als Freya nickte, holte er tief Luft, zögerte aber, bevor er weitersprach. Ich meine, sagte er schließlich und beugte sich zu ihr hin, um mit leiser, böser Stimme weiterzusprechen, dass du dich wie immer nicht entscheiden kannst. Liebe – ja, das willst du schon. Aber bitte keine Verpflichtungen! Bloß keine Verbindlichkeiten! Er begann wütend durch das Zimmer zu gehen. Als er an das Fenster kam, riss er es auf und stieß es sofort wieder zu. Die Scheibe klirrte. Freya sah, dass ein kleines Stück der morschen Farbe vom Fensterrahmen abblätterte. Sie zog die Decke über ihre Beine. Hör schon auf, sagte sie matt. Aufhören? Martin schrie jetzt. Freya überlegte, ob Hendrik sie hören würde. Der einzige Trost war, dass er das schon kannte. Er könne gerne aufhören, schrie Martin. Könne alldem, wenn sie wolle, ein Ende setzen. Mit zwei raschen Schritten war er wieder beim Fenster und klappte beide Flügel auf. Soll ich?, fragte er. Wäre das das Richtige? Er stand vor dem offenen Fenster und sah Freya herausfordernd an. Sie erwiderte kraftlos seinen Blick. Sein Fuß auf der Fensterbank. Die Geräusche, die aus dem Hof heraufdrangen. Ein Mofa wurde gestartet. Die Rufe eines Kindes, hoch und melodisch wie von einem Muezzin. Sie hielt sich die Hände vors Gesicht. Lachte besinnungslos. Spinnst du jetzt?, rief Martin. Er ging vom Fenster weg und auf sie zu. Wenn er doch nur mitlachen würde, dachte Freya, wenn sich so alles lösen ließe. Schluss jetzt, sagte Martin. Er sah sie ungläubig an. Schluss! Freya biss die Zähne zusammen. Sobald sie Martin ansah, musste sie wieder lachen. Jedes neue Lachen überfiel sie wie ein Krampf. Er stand mit hasserfülltem Gesicht vor ihr. Eine Hand erhoben, als wollte er sie schlagen. Mach doch, dachte sie. Auch das wäre eine Lösung. Weil damit alles geklärt wäre und sich dann nichts mehr retten ließe. Sie schloss die Augen. Das Lachen tat nur noch weh. Drückte gegen ihr Brustbein. Schmerzte in der Kehle wie ein zu großer Brocken.

Als sie die Augen öffnete, stand Martin wieder am Fenster. Den rechten Arm hinausgestreckt. In der Hand die Katze. Über seinem Daumen das winzige Gesicht mit den übergroßen, gelben Augen, darunter die zappelnden Beine. Was soll das, schrie Freya. Was soll was?, sagte Martin freundlich und ließ die Katze fallen.

Wenn es so weit ist, hilft ihnen keiner: Was gestern galt, gilt heute nicht. Sie drehen den Rumpf, strecken die Beine, machen einen Buckel. Es bleibt ihnen eine Sekunde.

Als sie sie endlich gefangen hatten – sie hatten sie in eine Ecke des Hofes drängen müssen, wo sie, halb verrückt vor Angst, ein wütendes Fauchen von sich gab –, sahen sie, dass sie blutete. Hendrik bettelte, gib sie mir. Freya hielt die Katze in beiden Händen. Einen Moment noch, ich will sie mir genauer anschauen. Das Blut kam aus einer Wunde am Maul der Katze. Sie musste auf Pfoten und Schnauze gelandet sein. Ansonsten schien sie unverletzt. Freya legte Hendrik die Katze in den Arm. Halt sie gut fest, sagte sie. Hendrik nickte. Wie konnte denn das passieren?, fragte er weinerlich und drückte seinen Mund gegen den Rücken der Katze. Freya zuckte mit den Schultern. Vielleicht wollte sie einen Vogel fangen, sagte sie. Das Fenster stand offen. Sie hoffte, dass Martin schon fort wäre, wenn sie wieder hochkämen. Einen Vogel?, fragte Hendrik. Meinst du? Ja, sagte Freya. Sie streichelte ihrem Sohn über den Nacken. Er trug immer noch seinen Schlafanzug. Hellblauer Frottee, bedruckt mit bunten Bällen und Clowns. Darum haben Katzen sieben Leben, sagte sie. Weil sie das Abenteuer lieben. Hendrik sah sie zögernd an. Er glaubt mir nicht, dachte sie. Aber was sollte sie sagen? Hendrik küsste die Katze auf den Kopf. Langsam stiegen sie die Treppe in den dritten Stock hinauf. Als sie vor der Wohnungstür standen, drückte Hendrik die Schultern durch und hob trotzig das Kinn. Als ob er alles weiß, dachte Freya. Wie wärs mit Kitty?, fragte er, als Freya die Tür öffnete. Die Wohnung war leer. In der Küche stand das Tablett mit dem Frühstücksgeschirr. Hendrik setzte sich mit der Katze auf das Sofa. Er blickte aus dem Fenster, während er die Katze streichelte. Sie saß aufrecht, mit zuckenden Ohren, als lausche sie. Hendrik kniff die Augen zusammen gegen das Sonnenlicht. Ist doch ein ganz guter Name, oder?, rief er. Freya räumte die Tassen in den Geschirrspüler. Sie würden das vergessen. Würden unbeschadet sein. Hellblau und sonnig. Jetzt schrie er: Sag doch mal! Und Freya ging zu ihrem Sohn und nickte und legte ihm zur Beruhigung eine Hand auf den Kopf.

Baden, reiten, warten

Baden. Marc nennt es so. Worin? In den Geräuschen, sagt er. Man muss sich dazu auf die Zehenspitzen stellen, als wolle man die Pappeln überbieten, es ist Samstag und man steht im Jardin du Luxembourg, eben hat in der Nähe ein Kind um ein Eis gebettelt, ein langgezogener, störrischer Laut: Maman, und Marc sagt leise, Augen unbedingt geschlossen halten, nicht blinzeln, kannst du nicht höher? Den Kopf in den Nacken legen wie ein schluckender Schwan und nicht gestehen, dass es dabei schwindelt, und jetzt, sagt er, hörst du es, die Brandung, noch ein bisschen!, und ach, wie gerne würde man den Kopf weiter nach hinten biegen, den Rücken folgen lassen, bis man ein Kreis ist, wie die wunderbare Schlangendame, die mit den Füßen einen Pfeil vom Bogen schießt und den Ballon trifft, mit dem ersten Schuss, hörst du es?, fragt Marc, und dann zusammensacken und im Rauschen untergehn.

Claire sagt, Frösche schmecken wie Hühnchen, sie macht Püh und sagt, wer braucht das schon. Sie steckt einen Finger in das Brötchen und schabt das Weiße heraus, sie fragt, kennst du das: den Mann deines Lebens küssen?, sie lacht und stößt Lucien mit dem Fuß an, dass er zusammenzuckt, ich meine nicht dich, sie zwinkert ihm zu, du bist nur was für heute, und Lucien nickt und kratzt sich an der linken Augenbraue.

Wir sind eine Flagge, sagt Matthieu und will uns anordnen, das weiße Kreuz vor rotem Grund, der Stern, der Halbmond, aber wir sträuben uns und setzen uns neben den Teppich auf den blanken Boden. Matthieu beißt von seinem Eclair au Chocolat beide Enden ab und lässt sich von Manolo die Hände lecken; er leckt die Kuppen, die Finger, den Handteller, das Handgelenk, er sitzt vor

95

Matthieu, und der könnte ihn schlagen, wenn er wollte, oder mit einem seiner spitzen Schuhe – Zuhälterschuhe, sagt Claire und verdreht die Augen – nach ihm treten, doch mit seinen bernsteingelben Augen und dem Kokosfell muss Manolo sich keine Sorgen machen.

Wie, fragt uns der Junge, macht ihr denn Liebe? Er sieht von Marc zu mir und wieder zurück, er fragt, wie groß bist du?, und Marc sagt, zweidrei, er fasst mich an den Schultern und schiebt mich vor sich. Wir machen Liebe wie die Hunde, weißt du, wie? Der Junge lächelt unsicher und murmelt, ach so, und seine Freunde lachen an der Theke und stellen sich vor, wie Marc hinter mir kniet, wie das wohl aussieht.

Wenn Marc kommt, weiß ich es schon Minuten, bevor ich sein Läuten höre. Ich weiß es, weil mein Magen es mir sagt und mein Kopf, meine Arme, meine Füße. Der kleine Zeh vom rechten Fuß zuckt und drängt sich gegen den nächstgrößeren, meine Augen tränen, als habe man die Fenster aufgerissen und alle Pariser Pollen hereingeworfen: Linden, Gräser, Birken, Erlen. Ich stehe dann vor dem Spiegel und sage laut: Ja. Mehr kann ich schon nicht mehr sagen, aber ich denke jedes Mal: Ich wäre bereit.

Marc setzt sich auf den Sessel und betrachtet ein Foto, das er vom Vertiko genommen hat, seine Beine reichen bis zum Teppich, seine Füße in den flachen Schuhen stehen auf den Fransen und ragen ins Rot hinein, er fragt, wer ist das?, und ich beuge mich über ihn, mein Haar an seiner Schulter, meine Brust, ich sage, von links nach rechts: Ute, Gerhardt, Torsten, Ariane, er sagt, deine Freunde, und ich sage, das war einmal. Ich habe alles aufgegeben, könnte ich sagen, und: Ich trage nichts unter dem Pullover, er reicht mir bis ans Knie und kratzt an meinen Armen, am Bauch und am Po. Marc sieht mich an, ich laufe über das Teppichfeuer und bin sehr scheu, manchmal drehe ich mich, eine kleine Pirouette nur, ich locke ihn ein letztes Mal, aber er hat die Zeitung gefunden und blättert darin, und ich renne ins Bad, wo ich Wasser laufen lasse und mich auf den kalten Boden lege, der Siphon zu meiner Rechten, die Wanne, und links zwischen den Kacheln der graue Verputz, ich schiebe den Pullover hoch, wenn er mich jetzt sähe, würde ich sterben, aber er ruft nur nach mir, wo bleibst du, ist alles in Ordnung?, und ich antworte: Ja, o ja.

Jetzt sind wir also sechs, die die Rue de Buci entlanglaufen, wir spannen uns weit wie Drachenflügel und spiegeln uns in den Schaufensterscheiben und manchmal in den glänzenden Marmorfassaden, und Claire hält Lucien und Marc, und Marc hält mich, ich halte Matthieu, und Matthieu hält Francine, die keiner von uns kannte, bis sie an Matthieus Hand das Restaurant betrat und die langen Haare unter einer Wollmütze hervorholte wie einen Trumpf, um dann schafäugig, von schwarzem Glanz umgeben, vor dem Tisch zu stehen: Salut, salut, salut, und: Enchantée. Ich erzähle ein Rätsel, kündigt Lucien an, noch bevor wir die Bar erreichen, er bleibt stehen, und auch wir bleiben stehen und umringen ihn, der Atem steht ihm pelzig vor dem Mund, er sagt, man bekommt es zweimal umsonst, beim dritten Mal muss man es kaufen, und wir raten: Die Liebe!, ruft Francine und lacht Marc zu, der schnaubt, sie ist so dumm, denke ich – aber ich spüre mein Herz flattern, gelb und nervös wie ein Kanarienvogel –, Haare, sagt Claire, das Glück, sage ich, aber Lucien schüttelt immerzu den Kopf, dann grinst er uns an, bleckt die Zähne wie Manolo, wenn er wütend wird, die Zähne!, ruft er, und wir lachen alle, und Francine lacht am lautesten. Manchmal reicht schon ein Glas Champagner. Sie ist hübsch, sagt Claire auf der Toilette zu mir, sie sieht aus wie eine Indianerin. Ich wäre, sage ich zu Claire, die sich die Wimpern tuscht, gern mit Marc allein, und sie fragt, sollen wir gehen, soll ich die anderen rauslotsen? Aber nein, sage ich, nein, nein, dann lache ich und sehe nicht schön aus dabei, er muss es doch auch wollen, denke ich.

Reiten. Man kann auf der Waschmaschine sitzen, wenn sie die Wäsche schleudert, am besten trägt man Jeans und Stiefel, die Stiefel müssen hoch und braun und wildledern sein, man sagt Hüh und reitet durch die Wohnung und zum Fenster hinaus, über die Dächer von Saint Germain des Prés, direkt zu ihm, den es zu retten gilt vor den Indianern. Würdest du, frage ich ihn am Telefon, ein Licht in der Wohnung brennen lassen, wenn du verreist?, ich frage es nur, damit ich es weiß, wenn ich nachts nach dir suche, und er sagt, das Licht löscht man, wenn man die Wohnung verlässt, und lass niemals den Herd an, hörst du, das Parkett, die Möbel, mon dieu, aber er versteht gar nichts. Ich weiß nicht, sage ich darum, ob ich dich wirklich mag, vielleicht ist das alles nur Einbildung, und er fragt, was soll das, hast du ein Problem, habe ich was gemacht? Sei bloß nicht so stolz auf deine Augenbrauen, sage ich, sicher, sie sind schön und braun und geschwungen wie zwei von winzigen Fischen beschwerte Angelruten, aber was heißt das schon.

Dass der Winter in Paris streng ist, weiß Claire seit ihrem ersten Jahr hier. Sie hat ständig gefroren und die Tage in Cafés verbracht, weil sie das Feuer im Ofen immer nur für wenige Stunden am Leben halten konnte. Am Meer, sagt sie, laufen wir noch im Dezember im T-Shirt herum, wir haben ein sonniges Gemüt und Sterne am Himmel, das glaubst du kaum. Wir alle, sagt sie und setzt sich aufrecht hin, sind unter freiem Himmel entjungfert worden: ich und meine drei Schwestern, meine Cousinen und sicher auch meine Mutter.

Sobald Claire mich besucht, wird meine Wohnung zu klein. Wenn du ihn willst, sagt sie, musst du um ihn kämpfen. Sie hat sie zusammen im Lafayette gesehen, Francine hat eine Tüte getragen, die braun war, mit einem einzelnen Namen in Schnörkelschrift darauf, Claire sagt, sie hat die Tüte getragen, nicht er, das ist ein gutes Zeichen, aber – sie hebt beide Hände, als drohte ich ihr – Gefahr ist trotzdem im Verzug.

Mit den Freundlichkeiten ist es vorbei, sobald es um die Liebe geht. Ich werde für Marc ein Essen kochen, und dann werde ich, noch während er mit dem letzten Stück Brot die Soße auftunkt, ein Spiel mit ihm spielen. Das Spiel heißt: Francine oder ich, es gibt zwei Felder, man kann nur einmal setzen. Wenn er zu lange zögert, werde ich sagen, rien ne va plus, und die Teller abräumen, ich werde ein Fenster öffnen und hinuntersehen, auf den Bürgersteig, der um die Zeit leer sein wird, die Schulkinder sind längst zu Hause, und die schauen ohnehin nie, nie, nie nach oben, ich werde einen Teller fallen lassen, ein Glas, eine Gabel, ein Messer, einen Teller, ein Glas, eine Gabel, ein Messer, zum Brotkorb sage ich Adieu und werfe ihn hinterher, der Pfanne gebe ich einen Tritt, das restliche Fleisch springt im Flug über den Pfannenrand, und dann werde ich einen Fuß auf das Fensterbrett setzen und mich abstoßen, die Flügel ausbreiten und fortfliegen.

Ich kenne eine Frau, sage ich, die sammelt Tieraugen, sie geht zum Schlachthof, wo sie die Augen kostenlos erhält, sie sortiert sie nach Tierarten, da gibt es Einmachgläser voller Schweineaugen, daneben Schüsseln mit Hühner- und solche mit Schafaugen, für Kuh- und Pferdeaugen hat sie große Kübel, das ist klar, sage ich, und Marc lehnt die Gabel umständlich gegen den Tellerrand, faltet die Hände und sagt, so kann ich nicht essen, aber erzähl ruhig weiter. Da gibt es nicht viel mehr zu erzählen, sage ich, sie lachen über sie, Madame des yeux nennen die Schlachter sie, und manchmal lassen sie sich von ihr die Zukunft weissagen, sie sagt nie Tod und Krankheit voraus, höchstens wiegt sie den Kopf und sagt leise ›c'est fou‹, doch das muss nichts bedeuten. Ich liebe Schafaugen, sagt Marc, und dann wundert er sich, weil mir die Tränen auf das Fleisch tropfen, aber was ist denn!, ruft er und fasst über den Tisch nach meiner Hand, doch ich kann nicht antworten, die Tränen schwimmen im Rahm. So kann man keine Spiele spielen, sage ich, und Marc sagt, ja, so geht das nicht.

Relevé, jeté, port de bras, der rote Teppich leuchtet im Licht, Marc sagt, Sonnenkönigin, und ich lache ihm zu, battement; stoß nicht die Lampe um!, ruft er und springt auf, die Lampe kippt und er bekommt sie zu fassen, doch dann hält er sich die Seite, da, wo mein Fuß ihn getroffen hat, und stöhnt. Das hätte, flüstere ich, als ich mich über ihn beuge, alles nicht sein müssen, wir hätten unter freiem Himmel stehen und den Großen Wagen suchen können, stattdessen liegst du nun hier, und Marc nickt und sagt, vielleicht hast du Recht.

Wenn einer sich drei Tage hintereinander nicht meldet, ist das ein sicheres Zeichen, sage ich zu Claire, und sie sagt, meinst du, und dann sagt sie, komm heute Abend mit, wir gehen alle ins Kino, und ich nicke.

Im Kinosaal ist es schon dunkel, als ich eintrete, darum ist es nicht leicht zu erkennen, ob sich ihre Knie berühren und ob sie sich die Armlehne teilen. Claire verzieht ihr Gesicht und zuckt mit den Schultern, ich weiß, sage ich, es ist allein meine Schuld. Sobald im Film geschwiegen wird, lausche ich auf ein Rascheln. Einmal höre ich Marc husten, und Francine fällt in sein Husten ein, gemeinsam husten sie einige Male, dann lachen sie, dann sind sie still. Wir sehen Blicke wandern, schwarz-weiß und sehnsuchtsvoll, und dann die Nackenlinie einer Frau, die müden Lider, das Kinn im Kissen, und ich habe genug von der Liebe und auch von der Musik. Du siehst entsetzlich aus, sagt Claire, als wir ins Foyer treten, aber in den Wandspiegeln sehe ich, dass ich mit zwei nassblauen Augen davongekommen bin. Marc ist bereits draußen, durch die rautengemusterte Glastür kann ich ihn neben Matthieu stehen sehen, und als wir hinauskommen, reißt Manolo an der Leine und zieht Matthieu ein Stück mit sich. Claire drückt meinen Arm mit beiden Händen, und Manolo stützt seine Vorderpfoten gegen meine Hüfte und schnappt nach dem Mantelgürtel. Marc sagt, und jetzt? Jetzt, sagt Francine und deutet die lichtverzierte Straße hinunter, gehen wir was trinken, sie dreht sich einmal um sich selbst, so dass ihr Rock ins Schwingen gerät, dann gehen wir los.

Einen Rock wie diesen, sage ich zu ihr, trug auch meine Großmutter, sie zog ihn an, wenn sie auf dem Feld arbeitete, auf der Innenseite hatte er Taschen aus Leinen, im Winter konnte sie warme Kirschkerne hineinstecken, die im Laufe des Vormittags auskühlten. Ach, sagt Francine, das ist interessant. Meine Augen sind auf Höhe ihrer Haarspitzen, sie fragt, lebt sie noch?, und ich sage, nein, sie ist gestorben, als sie merkte, dass ihr Mann sie nicht mehr liebt, aber er, sage ich, ist dann auch gestorben, die Ähren haben sie gerächt, sie haben sich um seinen Leib gewunden, immer enger, und das Leben ist aus ihm rausgehuscht wie ein Dieb. Spannende Verwandtschaft, sagt Francine und legt die Stirn in Falten. Manolo trottet vor uns her und wendet sich von Zeit zu Zeit mit tadelnder Miene um. Marc stellt sich unter die Weihnachtsbeleuchtung der Banque Nationale, in Ewigkeit, Amen!, und Lucien schüttelt bedauernd den Kopf und sagt, Blasphemiker.

Der libanesische Kellner hat zehn Hände und fünf Münder. Potée au chou? Saumon cru? Brochettes de porc? Filet mignon? Bouchées à la reine? Etvinpourtous? Francine zeichnet mit der Gabel ein ›M‹ ins Ragout. Wenn Marc lacht, ist sein Mund ein sich zu beiden Seiten verjüngendes Loch. Ich würde ihn auch lieben, wenn seine Pudelhaare glatt und farblos wären, aber davon ahnt er nichts. Warum ich schon gehe, fragt er, als ich von dem rot gedeckten Tisch aufstehe; die fiebrigen Wangen, das laute Lachen, ist das denn alles kein Grund?, fünf mitleidige Augenpaare sehen mich an: Schaf, Hahn, Kuh, Schwein und Katze, und unterm Tisch zwei aufmerksame gelbe Hundeaugen.

Warten. Man liegt auf dem Rücken, spreizt die Arme und kreuzt die Beine. Wenn das Telefon klingelt, ignoriert man es und betrachtet ungerührt die Zimmerdecke, zuweilen kann es vorkommen, dass die Lampe erzittert, das ist das Zeichen, dass der Abend da ist, der Nachbar ist nach Hause gekommen, nun läuft er umher: zweimal die Länge des Raums, zweimal die Breite, bis das Klingeln der Mikrowelle ertönt. Es kann sich lohnen, aufzustehen und vom Fenster aus den unentschlossenen Flug der Schneeflocken zu verfolgen. Meine erste Liebe hieß Jakob und hatte den mutlosen Blick eines alten Ponys. Als ich ihn verließ, hat er geschnaubt und bedauernd mit den Füßen gescharrt. Der Friseur von gegenüber tritt mittags aus seinem Laden, zündet sich mit ausholender Handbewegung eine Zigarette an und beobachtet sich beim Rauchen in einem Taschenspiegel. Er bläst die Wangen auf und lässt den Rauch in kleinen Stößen entweichen. Wenn er jetzt am Haus hochblickt, lautet das Orakel: Francine. Er steckt den Spiegel in die hintere Hosentasche und betrachtet das Haus vom Sockel bis zur Regenrinne, wie ich wartet auch er darauf, dass sich ein Meuchelmörder vom Dach herablässt, an einem aus Leintüchern gedrehten Strick. Den Schnee schüttelt er sich aus seinem spärlichen Haar, bevor er wieder in den Laden tritt.

Es gab einmal eine Frau, sage ich zu Marc, als er ruft und klopft und droht, die Tür gewaltsam zu öffnen, die versank vor lauter Liebe im Fluss, das Wasser kräuselte sich in kleinen Strudeln über ihrem Kopf, für einen Moment sah es aus, als wäre ein Stein versunken, weißt du, wie?, ja, sagt Marc, ich erinnere mich; und als das Wasser um sie herum dicht und dunkel geworden war wie Samt, hatte sie den Geliebten plötzlich vergessen, sie wusste nicht mehr, warum sie versank, nur dass es schön war, wusste sie, aber hatte es dann einen Sinn?, frage ich und muss ein bisschen weinen. Glücklicherweise kam dann ein Fisch geschwommen, fahre ich fort, ein ziemlich großer, der sie verschluckte, so dass sie sich im geräumigen Magen des Fisches häuslich einrichten konnte, aber der Bauch eines Fisches ist auf Dauer kein Wohnort für eine junge Frau. Machst du nun endlich auf?, fragt Marc, und als ich öffne, sehe ich, dass er gelbe Hosen und eine blaue Jacke mit Messingknöpfen trägt. Ich bitte ihn herein.

Plié, rond de jambe, arabesque. Kleine Mädchen tanzen, bis ihnen das Blut im Schuh steht. Marc fragt, Liebe oder Freiheit, was würdest du wählen, wenn du dich entscheiden müsstest?, und ich sage, es ist nicht auszuschließen, dass ich dich mag, also sei vorsichtig. Ich liege in der Mitte des roten Teppichs, von hier aus ist Marc riesig. Er streckt mir seine Hand entgegen. Wer sich von einem Ast zum nächsten hangeln will, muss ohne Zögern zugreifen. Das weiß ich von den Makaken.

Bei uns zu Hause ist das Land flach wie ein Eierkuchen, sage ich, die Förster schnitzen aus Baumstümpfen kleine Sessel mit senkrechten Rückenlehnen, wer sich da hineinsetzt, wird zur Matrone. Klingt nach Heimweh, sagt Marc. Ja, sage ich, vor allem sonntags. Er lacht leise. Wie schwermütig ihr seid! Ein Rätsel für dich: Je länger es dauert, desto kürzer wird es. Ich schlage die Bettdecke zurück und strecke ein Bein nach oben, und auch Marc streckt ein Bein nach oben, eines, das haariger ist als meines und breiter, ich denke, der Tag, der Abend, die Nacht, er sagt, also?, und ich sage, das ist einfach, das ist das Leben.

Betrüger

Otto sagt, so ein Name wie seiner sei eine Strafe, und dass er sich ab morgen Odo nennen werde, Odo, sagt er immer wieder, leise und lauter. Er sitzt neben Caroline auf dem Ledersofa, und sie sehen die Leute an, die in die Bar kommen und sich nach freien Plätzen umschauen, aber dass jemand allen Ernstes glaubt, hier an einem Samstagabend einfach reinspazieren und Platz nehmen zu können, grenze schon an Dummheit, meint Otto. Das Glas in seiner Hand ist halb leer, die Eiswürfel aufgelöst, kein Klirren, wenn er trinkt. Du mit deinem Namen, sagt Otto, bist natürlich immer ein wenig im Vorteil. Er zieht die Mundwinkel nach unten. Noch bevor Caroline etwas entgegnen kann, grinst er schon versöhnlich. Sicher, sagt er, eine Frau wie du käme auch mit einem anderen Namen zurecht. Er lacht. Zum Beispiel mit Ottilie. Stell dir vor, sagt er, du hießest Ottilie. Caroline nickt kurz und lächelt, dann wendet sie sich ab und sieht raus. Fast alle, die an der Bar vorbeigehen, schauen durch die großen Scheiben herein. Manchmal fühlt sie sich wie im Aquarium, wenn sie hier sitzt, nur dass sie nicht leuchtet, und leuchten, denkt sie, müsste schon sein. Mindestens so zitronengelb wie ein Doktorfisch möchte sie sein und mit der gleichen nach oben gebogenen Nase.

Er sei also, erzählt Otto, gestern mit dem Mädchen ausgegangen. Schön sei sie ja nicht gerade, eher mausig. Er zieht die Oberlippe ein wenig hoch und beißt mit den Schneidezähnen in die Unterlippe. Schon auf der Hinfahrt habe er immer wieder nach ihr gefasst, an jeder Ampel, sagt er, die gleiche Prozedur: Hand vom Schalthebel und auf ihr Bein gelegt, und sie hat aus dem Fenster geschaut und weitergeredet, als bemerke sie nichts, aber wenn er die Hand auf ihrem Oberschenkel nach oben bewegte, habe sie sie genommen und wieder zurück auf ihr Knie geschoben. Dafür dass sie nun schon zum dritten Mal miteinander ausgingen, sei sie sehr zurückhaltend gewesen, resümiert Otto. Trotz der Briefe, die er ihr zwischendurch geschrieben habe, und der Telefonanrufe, in denen er seine Liebe beteuerte, immer wieder, und die sie jedes Mal beendete, sobald sie Schritte im Hausflur hörte. Otto sagt: Eine harte Nuss. Aber er liebe die Herausforderung.

Zum Italiener seien sie gegangen, nicht sehr einfallsreich, gibt Otto gleich zu, aber immerhin kein Pizza-Pasta-Italiener, sondern feine mediterrane Küche. Sie Ente, er gebratene Sardinen, dazu Pinot Grigio, wer's mag, sie durfte den Wein aussuchen. Die ganze Zeit beim Essen ging es um Liebe, sagt er, immer im Kreis, er spricht von seiner Liebe zu ihr, sie von ihrer Liebe zu ihrem Freund, beim Dessert hing es ihm so zum Hals raus, dass er sie unterbrach: Warum bist du überhaupt mit mir hier? Und sie?, fragt Caroline. Otto leert sein Glas. Rot sei sie geworden. Und aufs Klo gegangen. Als sie wiederkam, habe sie gesagt: Weil ich dich mag. Otto lacht. Er sei sich vorgekommen, sagt er, wie zu Schulzeiten, vierzehn, fünfzehn Jahre alt, wo man nach der Kinovorstellung frierend herumsteht, das Rad neben sich, und beim Abschied sagt: Ich hab dich gern. Caroline grinst. Ich hab dich gern, hat damals keiner zu ihr gesagt. Und vor ihr gestanden und ein Fahrrad mit einer Hand gehalten und vor Kälte und Aufregung gezittert hat auch keiner. Otto winkt dem Kellner zu und deutet auf sein Glas. Noch einen Gin-Tonic. Kommt gleich.

Vor ihrem Haus haben sie im Auto gesessen, und Otto hat gesagt: Das war's. Er könne nicht mehr. Er sehe, dass er sie unglücklich mache. Im Radio haben sie traurige Musik gespielt; ohne, gibt Otto zu, wäre es schwerer gewesen. Er verlasse die Stadt, sagte er, plötzlich sei ihm die Idee gekommen, wie aus dem Nichts, auf einmal sei er da gewesen, dieser Satz: Ich werde Köln verlassen, für immer. Aber, sagte er, sie müsse ihm versprechen, dann auch glücklich zu werden. Schwören müsse sie es, und als sie ihre Hand nicht in seine legte, weil sie das nicht versprechen konnte, habe er gesagt: Leb wohl. Gerade in diesem Moment, erzählt Otto, sei die Musik im Radio ausgeklungen und eine Pause entstanden. Beinahe wäre es darum peinlich geworden, aber dann, er lacht, haben sie *Words* gespielt, ohne Scheiß, sagt er und singt leise: Words – don't come easy to me. Caroline sagt: ja, ja, kenne ich. Sie zu küssen, sagt Otto, sei dann nicht viel mehr als eine Formalität gewesen, und seinen Kopf in ihren Schoß zu legen und schließlich mit ihr nach oben zu gehen, da ihr Freund auf Geschäftsreise war, das Bett, sagt er, mit einem schmiedeeisernen Gestell an Kopf- und Fußende, darüber ein Baldachin, rechts und links Nachttischchen aus hellem Holz, wie bei einem Burgfräulein sei er sich vorgekommen, aber, fügt er hinzu, einem unanständigen Burgfräulein.

Caroline sagt: Alle Achtung, du hast es also geschafft. Sie grüßt eine Bekannte, die ihr im Rausgehen zuwinkt. An der Theke stehen zwei Männer, die sie immer wieder anschauen, vielleicht, denkt sie, bin ich doch so schön wie ein Doktorfisch. Und nun?, fragt sie. Otto lässt seinen Kopf gegen das rote Lederpolster sinken. Tja, nun, sagt er, werde sie anhänglich – alleine in den letzten Stunden drei Anrufe –, doch da die Festung eingenommen sei, sei sein Interesse natürlich erlahmt. Perdu, sagt er und klopft sich mit beiden Händen auf die Beine. Schon heute Morgen habe er über sich lachen müssen. Aber eigentlich sei es ja ihre, Carolines, Schuld, sie mit ihren Ränkespielen. Seine Stimme ist zärtlich. Er sieht sie an, und sie legt wie zur Belohnung ihren Kopf neben seinen, nur Zentimeter sind ihre Nasenspitzen voneinander entfernt. Er flüstert: Komm ein bisschen näher, dann lecke ich dir übers Gesicht wie eine Katze. Caroline sagt: Erzähl mir von ihr, wie war sie im Bett?

A regular whore, sagt er. Und, fragt Caroline, wird sie nun leiden? Würde dich das freuen?, fragt Otto, und als Caroline nickt, schüttelt er den Kopf und schnalzt mehrmals leise mit der Zunge. Natürlich wird sie leiden. Die kannst du von deiner Liste streichen. Caroline lacht zufrieden. Noch einen Gin-Tonic?, fragt sie. Ja, sagt Otto, und sie hält sein Glas hoch und gibt mit der anderen Hand das Zeichen, Daumen und Zeigefinger gestreckt.

Otto sagt: Und bei dir? Caroline setzt sich aufrecht hin, fährt mit einer Hand in ihren Nacken und kratzt sich am Haaransatz. Sie verzieht den Mund. Diesmal, sagt sie dann, sei es komisch gewesen. Sie lässt sich wieder gegen die Lehne sinken. Sie sieht Otto nicht an, sondern betrachtet den Kronleuchter an der Decke, so viele Glastropfen, denkt sie, die müsste man mal zählen.

Sie habe also ja gesagt, der andere plötzlich nicht länger chancenlos, sondern dem Glück nah, ja, habe sie gesagt, man könne sich treffen, am Abend?, wenn er das wolle, warum nicht, ihr Ton nichts als Gleichgültigkeit, und das, sagt sie, war nicht gespielt. Noch drei Stunden sei Zeit gewesen. Und du, sagt Otto und nimmt sich einen Zahnstocher aus dem schwarzen Porzellanschälchen auf dem Tisch, hast dich schön gemacht? Ja, sagt sie. Gebadet?, fragt er. Ja, sagt sie, gebadet, die Haare gewaschen, die Brauen gezupft, die Augen katzig geschminkt, die Lippen rot, schließlich ein schwarzes, enges Kleid und hohe Stiefel angezogen, die blonden Haare ein Wasserfall, ein achtes Weltwunder. Sie lacht. Otto hat die Augen geschlossen. Er flüstert, dressed to kill, und stößt beim letzten Wort den Zahnstocher wie einen Dartpfeil in die Luft. Er habe, sagt sie, schon in der Bar gesessen, als sie gekommen sei, an einem kleinen Tisch, in einer schlecht beleuchteten Ecke, so dass sie ihn zuerst gar nicht gesehen habe. Er sei aufgestanden. Habe gesagt: Schön, dass du da bist. Und ihr aus dem Mantel geholfen. Kein Wort habe er zu ihrer Aufmachung gesagt, sondern einfach da gesessen in seiner abgeschabten Cordhose und dem Jeanshemd und sie angelächelt. Die Brille habe er sich alle paar Minuten auf der Nase zurückgeschoben, manchmal habe er sich an seinem erbärmlichen Bärtchen gezupft, einmal habe er ein kariertes Taschentuch hervorgenommen, sich vom Tisch abgewandt und sich viel zu laut geschnäuzt. Dass die Leute ihn ansahen, sagt Caroline, merkte er entweder nicht oder es war ihm egal. Aber ich, sagt sie, saß wie auf Kohlen und hätte ein paar Mal beinahe laut rausgelacht. Sie nimmt einen Schluck. Er war noch viel schlimmer als sonst, sagt sie. Otto legt seinen Kopf gegen ihre Schulter und sagt, du Arme, er sagt: Diesmal war es ein besonders harter Brocken, was? Er lacht zufrieden. Aber, erinnert er sie, die Mausige war auch eine Zumutung. Ja, sagt Caroline. Ich weiß. Sie sieht sich um, die Bar ist nicht mehr so voll, zwar sind alle Tische besetzt, doch an der Theke sind noch drei Plätze frei. Sie denkt, bald geht's hiermit bergab, und betrachtet den Kellner, der ahnungslos am Tresen lehnt. Das Leder des Sofas ist weich, sie fährt mit der Hand darüber.

Den ganzen Abend hat der von seiner Familie erzählt, sagt sie. Eine Schwester, die aus dem vierten Stock eines Hauses gesprungen ist und überlebt hat, aber seitdem ständig Hilfe braucht, nicht mal aufs Klo gehen kann die noch alleine. Der Vater, der schon den zweiten Herzinfarkt hinter sich hat. Die Mutter, die unter Neurosen leidet und niemandem die Hand gibt, weil sie Angst vor Bakterien hat. Türgriffe fasst die nicht an, erklärt Caroline, immer ein Tuch in der Tasche und an manchen Tagen kein Schritt vor die Tür. Der Bruder drogenabhängig, seit Jahren schon. Alles in allem, sagt sie, ziemlich starker Tobak. Sie setzt sich aufrecht hin, bündelt die Haare zwischen beiden Händen, dreht sie umeinander und steckt das Ende unter den entstandenen Dutt. Dann lehnt sie sich wieder zurück. Trotzdem, sagt sie, habe ich natürlich nicht vergessen, warum ich da war. Manchmal habe sie versucht, das Thema zu wechseln, aber es sei schwierig gewesen, eben noch über Herzinfarkte zu sprechen und im nächsten Moment zu fragen, was willst du eigentlich von mir?, und dabei tief in die Augen des anderen zu schauen und ihm die Illusion zu geben, er müsse nur zugreifen. Wenn der doch gar nicht zugreifen will, sagte sie. Dabei habe sie in den Wochen zuvor den Eindruck gehabt, der warte nur. Sie sagt: Ich dachte, der will mich.

Auf der Heimfahrt dann habe sie ihn irgendwann unterbrochen. Pssst, habe sie gemacht, die Augen, sagt sie, katzig, dann dieses ›Pssst‹, Mannomann! Sie lacht. Sie sieht Otto an. Was hättest du gemacht?, fragt sie, und er streckt die Zunge raus wie ein Chamäleon und lockt die Luft in seinen Mund, das, sagt er dann, gevögelt hätte ich dich. Dort, im Auto. Sofort. Caroline nickt. Der aber nicht, sagt sie. Der, sagt sie, habe vor sich hin gelächelt und geschwiegen, und als sie bei ihr ankamen, habe er den Wagen rechts rangefahren und gesagt, vielen Dank für den netten Abend, und da, sagt sie, habe ich meinen Gurt gelöst, mich zu ihm rübergebeugt und meine Hand auf seinen Schwanz gelegt. Otto reißt die Augen auf. Holla, ruft er halblaut und fügt hinzu: Perlen vor die Säue.

Ein Zeitungsverkäufer betritt die Bar, in der Hand *Stadtanzeiger, Express*. Er hält ihnen die Zeitungen hin, sie lehnen ab, im Weitergehen sagt er: Bruce Willis ist tot. Caroline sieht ihm hinterher, die schwarzen Haare, der dunkle Nacken. Sie sagt: Hast du gehört, Bruce Willis ist tot. Sie ruft den Zeitungsverkäufer zurück. Woran ist er gestorben?, fragt sie, und der Mann sagt: Herzinfarkt. Als sie die Zeitung durchblättern, fehlt jeder Hinweis. Wo steht das denn, fragt Otto, die Sache mit Bruce Willis? Der Mann lacht. Nicht Bruce Willis habe er gesagt, sondern Wurst-Willi, der sei tot, Herzstillstand, neben seinen Thüringern habe der gelegen. Er sagt: Kennt ihr den etwa nicht? Hatte seinen Stand auf der Zülpicher. Aber, sagt er, in der Zeitung stehe das natürlich nicht. Otto sagt: Eigentlich müsste ich mein Geld zurückverlangen. Ein Mann an der Theke dreht sich zu ihnen um: Wurst-Willi sei aber tatsächlich tot. Seit zwei Jahren schon. Theatralisch küsst er die Fingerspitzen seiner rechten Hand. Hatte prima Bockwurst!

Caroline faltet die Zeitung zusammen und schiebt sich die Haare aus der Stirn. Sie sagt: Ich hatte also meine Hand auf seinem Schwanz und fing an, sein Gesicht zu küssen. Sie sagt: Ich hing an ihm, und er drehte den Kopf zur Seite, so dass ich nur sein Ohr küssen konnte und seinen Hals, und alles an ihm roch langweilig und bieder. Wie ein ungelüftetes Zimmer, sagt sie. Sie schüttelt sich bei der Erinnerung. Sie legt ihren Kopf an Ottos Hals und schnuppert. Nicht so lecker wie du, Otto, sagt sie, und Otto sagt: Odo. Er sieht sie an. Von unten sind seine Nasenlöcher zwei Höhlen und die dunklen Pupillen Kaffeebohnen. Er sagt: Bitte. Caroline nickt. Sie wiederholt leise: Odo, Odo, Odo. Dann richtet sie sich auf und sagt: Gib mir ein bisschen Zeit.

Als sie sich umschaut, begegnet ihr ein Blick, der offen ist. Wie ein Messer, denkt sie, der Mann starrt sie unverhohlen an, einen Moment lang sieht er hübsch aus, dann kneift er die Augen zusammen und wendet sich wieder der Frau zu, die neben ihm sitzt, er legt ihr seine Finger in die Hand, aber aus den Augenwinkeln beobachtet er weiter Caroline. Otto fragt: Und dann? Caroline hat Lust auf Erdnüsse, aber die Zeiten, in denen hier zu jedem Getränk eine kleine Schale mit Nüssen serviert wurde, scheinen vorbei zu sein. Sie sagt, ach, und zieht ein Bein zu sich heran. Plötzlich macht ihr das alles keinen Spaß mehr. Doch Otto sieht sie neugierig an. Ich habe ihn geküsst, sagt sie, aber küss mal jemanden, der das nicht will. Weggestoßen habe er sie nicht gerade, aber alle Küsse seien ins Leere gegangen. Immer habe er es geschafft, den Kopf so zu drehen, dass sie an seinen Mund nicht herangekommen sei. Irgendwann, sagt sie, habe ich mich dann auf meinem Sitz zurückfallen lassen und gesagt: Was soll das? Otto zieht die Luft ein und hält die Hände vor sich, offene Handflächen nach oben. Ein wenig sieht er aus wie ein Fernsehprediger, Caroline denkt, segne mich, und ist froh über das Erstaunen in seinem Blick. Spinnt der?, ruft Otto, und dann lacht er, der solle doch dankbar sein, auf den Knien rutschen vor Dankbarkeit, den eigenen Kopf zum Dank opfern. Er redet sich in Rage, und Caroline sieht das Gesicht des anderen vor sich, wie er sich von ihr zurückzieht, bis er gegen die Fahrertür stößt, den Türgriff, denkt sie, muss er bereits im Kreuz gespürt haben, als sie von ihm abließ. Entschuldige, hat er gesagt und war ihr wieder näher gekommen, entschuldige, aber das mit uns beiden wird nichts. Er möge sie, ja, sehr sogar, aber mehr? Mehr sei da nicht, er fände es selbst schade. Aber solle er sie ausnutzen? Ihr falsche Hoffnungen machen? Sie erinnert sich, dass sie beinahe lachen musste, als sie sagte: Ja. Das würde schon reichen. Erst später war ihr eingefallen, dass es dann ja keinen Sinn gehabt hätte. Sie war aus dem Auto gestiegen. Wenn du magst, sagte sie, komm hinterher. Ich lasse mein Licht zehn Minuten brennen. Er sagte, ich überleg's mir, und schob sich die Brille auf die Nasenwurzel zurück. Ich verlange nichts von dir, versicherte sie. Sie sagte: Mach dir um mich keine Sorgen. Sie wusste da schon, dass er nicht kommen würde. Von ihrem Fenster aus sah sie ihn wegfahren, es waren sechs Minuten vergangen.

Zu Otto sagt sie: Er wollte nicht. Sie überlegt einen Moment, dann sagt sie: Er konnte nicht. Gib dem Affen Zucker, denkt sie. Ottos Gesicht verzieht sich langsam zu einem Grinsen. Der kann nicht?, fragt er und ein Lachen drängt sich gegen jede Silbe. Ja, sagt sie. Der kann nicht. Otto meint, wenn er sich etwas hätte wünschen dürfen, wär's das gewesen. Er sagt, danke, Caro, und: You made my day. Der Mann mit dem hübschen Gesicht sieht Caroline an, als er zur Tür geht. Sie lehnt sich gegen Otto und flüstert: Ich liebe dich. Sie fügt hinzu: Odo.

Vor der Bar verabschieden sie sich. Sie küssen sich auf die Wangen. Caroline sagt, bis morgen, Otto schickt ihr eine Kusshand hinterher.

Wir müssen uns bald einmal eine andere Bar suchen, sagt er am nächsten Abend. Hast du gesehen, was für Typen hier reinkommen? Sie nickt. Manchmal lächelt sie zurück, wenn ihr einer gefällt.

Der Tee schmeckte süß und kräftig, und wir tranken ihn mit kleinen, lauten Schlucken. Wo sollte man anfangen? Mein Cousin überlegte kurz, dann sagte er, wir brauchen erst einmal Kartons. Meine Mutter will einige der Bücher, sagte ich, außerdem das geblümte Geschirr und ein Bild, ein Porträt ihres Vaters, hast du so eines gesehen? Mein Cousin sagte, auf allen Bildern sind Menschen, das wird schwer. Wenn er jetzt den Kopf senkte, um aus seiner Tasse zu trinken, sah er traurig aus. Aber das sei er nicht. Nein, sagte er, als ich ihn fragte, das täuscht, wie ich schon gesagt habe: Ich kannte ihn kaum.

Mein Cousin ist dumm. Jeder weiß: Es gibt tausend Gründe, traurig zu sein. Vom Wetter will ich gar nicht sprechen. Schon eher von Langeweile, Fernweh, Besserwisserei (denn manchmal weiß man tatsächlich alles besser, und dann hilft gar nichts mehr). Mein Cousin liebt es, sich den Anschein zu geben, mehr zu wissen als die anderen. Er sendet dann sehr lange, sehr schweigsame Blicke aus, zuweilen ist das lächerlich, manchmal aber weckt es auch den Wunsch, ihm zu gefallen.

Wir begannen mit den Büchern, die schwer waren und staubig und gar nicht aussahen, als ob sie jemals jemand gelesen hätte, mit ihren dunklen Ledereinbänden, den goldenen Lettern, der Frakturschrift. Wir öffneten sie und hielten unsere Nasen hinein, wir lachten, später räumten wir sie nur noch aus den Regalen in die Kartons, ich schrieb ›Bücher‹ auf jede der Kisten, und mein Cousin klebte sie zu. Das Haus meines Großvaters war ein sehr engstirniges Haus, hoch und schmal und dunkel, vollgestellt mit Möbeln aus schwärzlichem Holz, die irgendwann teuer gewesen sein mussten, aber inzwischen aus Mode und Zeit gefallen waren, ein Umstand, dem sie mit der selbstbewussten Bescheidenheit von Primeln begegneten.

In der Schreibtischschublade fanden wir ein kleines Fotoalbum aus roter Pappe, darin waren Bilder von Kindern, Männern und Frauen, die wahrscheinlich alle seit langer Zeit tot waren, und zwei Bilder von dem Haus, einmal im Winter, mit spitzen Eiszapfen vor den Fenstern, einmal im Sommer, die Schatten der Bäume auf den Mauern. Mein Cousin blätterte das Album durch, er fragte, willst du es?, und ich nahm es. Am Abend gingen wir im Dorf essen, die Wirtin hieß wie das Lokal, Hulda, und so hießen schon ihre Mutter und ihre Großmutter, erzählte sie, während sie mit trägen Bewegungen über die Theke wischte. Wir bestellten Schnitzel und betrachteten die Plakate an den Wänden. Alle warben für das gleiche Bier. Mein Cousin fragte, wie war das wohl früher hier?, und ich sagte, andere Autos, anderes Bier. Er war in der Partei, sagte mein Cousin, wusstest du das? Nein, sagte ich. Er war klein und wieselhaft, sagte mein Cousin, wie gemacht für einen richtigen Mitläufer, und ich sagte, er baute Bohnen an und rauchte Zigarren, weil es das war, woran ich mich erinnerte.

Mein Cousin hat große Hände. Er legt sie um Tassen und Becher, als gäbe es keine Henkel. Neben dem rechten Auge hat er zwei dunkle Leberflecken, die aussehen wie Fliegendreck oder wie winzige Inseln in einem farblosen Ozean. Er sagt Sachen wie: Ich hatte Angst, du würdest meiner Mutter ähneln, und: Wie viel müsste man dir zahlen, damit du hierher ziehst? Während man noch überlegt, flüstert er den Namen des Ortes vor sich hin, bis er keinen Sinn mehr ergibt. Dann beugt er sich mit starrem Blick über den Tisch; es geht darum, wer zuerst wegschaut. Gut möglich, dass bald schon sein Geruch nicht mehr zu ertragen ist, oder seine Art zu essen – die Gabel in der geschlossenen Faust, eine gewollte Nachlässigkeit beim Kauen: Wie ein Reptil verschlingt er ganze Brocken.

Eine große graue Wolke zog am Himmel vorüber und hintendrein drei kleine weiße, eine wahre Entenfamilie von Wolken war das, und mein Cousin rief, wo bist du? Hier, sagte ich und ging wieder zurück ins Haus. Das Wohnzimmer hatten wir inzwischen ausgeräumt, die Möbel standen im Vorgarten, wo sie am späten Nachmittag ein Antiquitätenhändler aus einem der umliegenden Dörfer abholen sollte. In der Nacht war mein Cousin in mein Schlafzimmer gekommen; er hatte im Türrahmen gelehnt, den schweren Kopf schräg gelegt und von da aus gefragt, schläfst du? Nein, sagte ich. Er kam ein Stück in den Raum herein und sagte kläglich, ich kann nicht schlafen, verflucht noch mal. Er trug einen gestreiften Pyjama, wie ihn alte Männer tragen, und an den Füßen Pantoffeln, die womöglich neben seinem Bett gestanden hatten. Er sagte, nicht dass du etwas Falsches denkst, und machte noch einen Schritt auf mich zu, eigentlich, erklärte er, bist du etwas groß für meinen Geschmack. Und etwas müde, sagte ich. Verstehe, sagte er, verstehe. Trotzdem …, er setzte sich auf das Fußende meines Bettes – du erlaubst doch? –, dann holte er aus der Brusttasche seines Pyjamas ein Feuerzeug und ein Päckchen Zigaretten, zündete sich eine davon an und stieß den Rauch mit einem brummigen Glucksen aus. Ich wünschte, es gäbe Alkohol in diesem Haus, begann er wieder, aber wie es scheint, war unser Großvater Abstinenzler. Er schüttelte den Kopf und lachte spöttisch. Erinnerst du dich eigentlich an den Sommer hier?, fragte er, und ich sagte, ein wenig. Haben wir uns, er überlegte und streifte die Asche am Bettrand ab, damals nicht ziemlich gut verstanden, kann das sein? Ist da nicht sogar was passiert? Er sah mich gespannt an, und ich versuchte mich zu erinnern. Ich war damals neun und er vierzehn, was sollte da passiert sein? Nein, sagte ich, sicher nicht. Ich war müde, ich wollte schlafen. Mein Cousin aber hatte beschlossen, von sich zu erzählen. Sein Leben war eine Kette von Anekdoten. Er wurde missverstanden und übers Ohr gehauen und war am Ende doch überlegen und schlauer als die anderen, er hatte Witz und Charme; die Frauen verliebten sich reihenweise in ihn, attraktive Frauen, kluge Frauen, die er trotzdem nicht so lieben konnte, wie sie es wünschten, er wurde von ihnen verführt und verfolgt, sie lauerten vor seiner Wohnung, Horden blitzgescheiter Schönheiten mussten sich da drängen, und lag es an seinen Locken, seinem Lächeln, seinem Geist? Er konnte es sich nicht erklären und ich mir auch nicht. Irgendwann verstummte er; ich stellte mich schlafend und spürte, wie er sein Gesicht vor meines hielt, sein Atem streifte meine Wange, warm und vertraut, dann verließ er auf Zehenspitzen das Zimmer und schloss leise die Tür hinter sich.

Jetzt stand er in der Küche, eine geblümte Porzellanschüssel in der Hand, und blies eine tote Fliege über den Rand. Nicht sehr sauber, stellte er fest, wandte sich mir zu und fragte, ging es deinen Eltern um dieses Geschirr? Ja, sagte ich, ich glaube schon. Na dann. Er stellte die Schüssel auf den Tisch und zog einen der Küchenstühle heran, auf dem er sich, die Beine rechts und links der Rückenlehne, niederließ. Ich sehe dir beim Einpacken zu, erklärte er, und das tat er dann auch.

Mein Cousin gehört also zu den Männern, die sich verkehrt herum auf Stühle setzen, die beim Rauchen eine ernste Miene ziehen, während sie die Zigarette zwischen Zeigefinger und Daumen halten und in der hohlen Hand verbergen. Er gehört zu den Männern, die glauben, dass die Welt eine Bühne sei, die vor ihrem Erscheinen seltsam leer war; er ist einer von denen, die dich mustern und dann sagen, die Frauen in Venezuela haben die schönsten Hintern der Welt, und im nächsten Moment sieht er zum Fenster hinaus und sagt etwas eindeutig Romantisches (siehst du die Lerche, dort?, und dazu macht er ein kleines, schabendes Geräusch, das wie das eilige Schlagen der Flügel klingen soll).

Am dritten Tag unseres Aufenthalts im Dorf hatten wir das gesamte Mobiliar entweder verkauft (an den Antiquitätenhändler), verschenkt (an die Nachbarn) oder weggeschmissen. Die Kisten mit den Büchern, Bildern und dem Geschirr hatten wir im Auto verstaut. Sehr gut, lobte uns mein Cousin und vollführte eine kleine Drehung im leeren Schlafzimmer. Und nun? Wir beschlossen, uns die Umgebung anzuschauen; bis an die Küste wollten wir fahren. Mein Cousin schloss sorgfältig die Haustür ab, obwohl es nichts mehr zu stehlen gab, und wir stiegen ins Auto und fuhren los.

Am Rand einer Neubausiedlung machten wir eine Pause. Wir liefen durch Straßen, die Hasensprung, Hirschwechsel und Rehweg hießen. An den Gartenzäunen hingen Schilder, auf denen vor Wachhunden gewarnt wurde. Viele waren mehrsprachig: deutsch, türkisch, russisch, polnisch. In den Gärten langweilten sich knorpelige Wurzelmännchen und dickbauchige Zwerge. Unter einer Magnolie stand, mit hellbraunen Tarnkappen, eine Armada von Pilzen.

Mein Cousin betrachtete angewidert die spitzen Vordächer und roten Ziegel, die Giebel und rustikalen Balkone, die Butzenscheiben und Holzverschalungen, die an den Häusern wie Kostüme aussahen. Komm, sagte er und bog auf einen Weg ein, der an einem Bach entlangführte. Das Wasser stand ganz still, nur an manchen Stellen kräuselte sich die Oberfläche in kleinen Kreisen. Nach etwa einem Kilometer mündete der Bach in einen Weiher. Um den Weiher herum standen Schuppen aus Wellblech und grünlich angelaufenem Holz. Durch ein Loch in der Wand spähten wir in einen von ihnen hinein. Der Fußboden war mit Wasser bedeckt, neben einem großen, roten Gartengerät stand ein Bürostuhl, Bretter lehnten an den Wänden, an einem Nagel hing eine Laubsäge. Wir standen lange dort und schauten. Was gibt es da zu sagen? Wir lehnten Wange an Wange, um abwechselnd durch das kleine Loch im Holz zu spähen, eine Ente flog auf und jammerte schrill, und irgendwann gingen wir zurück.

Und jetzt also ans Meer?, fragte mein Cousin, als wir wieder im Auto saßen. Er sah mich nachdenklich an, besorgt wie um ein Kind, dem er den Nachmittag über etwas bieten müsste, bereit, sich meinen Wünschen unterzuordnen. Muss nicht sein, murmelte ich. Er zuckte mit den Schultern. Wo wir doch schon mal hier sind, sagte er gleichgültig und startete das Auto. Ich sah aus dem Fenster, um seine Hände nicht anzusehen, weil ich mir sonst vorgestellt hätte, wie sie mich berührten. Sollte sich sein Mund ruhig verziehen, wie er wollte, und seine Stirn sich in Falten legen und die Augen, diese braunen, dummen, glatten Augen, sich weiten und verengen und zwinkern. Ich sah nicht hin.

Natürlich kennt man solche Männer wie meinen Cousin. Sie sind Großwildjäger, aber schlechte: Nur mit dem Nötigsten ausgerüstet, legen sie es darauf an, möglichst viele Tiere zu erlegen; sie prahlen mit ihren Erfolgen, aber wenn ihnen unverhofft tatsächlich einmal ein Tier (sagen wir, eine Zebrastute oder eine Antilope oder sogar eine Löwin) vor die Flinte läuft, wissen sie nicht, was sie tun sollen. Sie stehen ratlos vor dem Tier, das sie zutraulich anblickt und schließlich weitergeht. Und genau in dem Moment, in dem das Tier im Dickicht verschwindet, legen sie die Flinte an, aber dann ist es zu spät.

Zu spät, sagte ich leise, verstehst du das? Mein Cousin blieb stehen und sah mich ungeduldig an, dann streckte er einen Arm aus. Pass auf, sagte er, nicht stolpern. Wir kamen aus dem Restaurant und waren auf dem Weg zu unserer Pension. Es war ganz einfach: Ich mochte ihn nicht (sein selbstgefälliges Lächeln, als er bei der jungen Kellnerin den Wein bestellte, seine gelangweilte Stimme, seine unnachahmliche Art, die Zigarette zu halten!), aber ich hatte zu viel getrunken, und darum griff ich nun nach seinem Arm, um mich darauf zu stützen. Er winkelte seinen Arm an, ich hängte mich ein, und so gingen wir weiter. Einmal machte ich ein, zwei betrunkene Sprünge, da griff seine Hand nach meiner, und ich tänzelte ein wenig und war gleichzeitig fest verankert wie ein Ballon an der Schnur.

Jetzt ein bisschen Gift nehmen und sterben, schöner kann es nicht mehr werden.

In der Pension angekommen, fragte mein Cousin, du findest dein Zimmer?, und ich sagte, klar, und nannte die Nummer (einhundertzwei). Mein Cousin sagte, schlaf gut, und betrachtete dabei die Glaslampe mit ihrem öden Strahl. Ich stieg die Stufen in den ersten Stock hinauf, während er am unteren Ende der Treppe stehen blieb. Um was zu tun? Mir hinterherzublicken? Eine Zigarette zu rauchen? Würde er sich den Druck meiner Hand ins Gedächtnis rufen, würde er versuchen, meine Miene zu deuten, meine Stimme, als ich ihn um das Salz bat? Würde er sich daran erinnern, wie ich die Katze streichelte, die auf der Kühlerhaube eines Autos gesessen und uns, ungerührt und mit freundlicher Herablassung, angesehen hatte, als wir sie begrüßten? Ich schloss die Zimmertür auf und lauschte, ob ich seine Tritte auf der Treppe hören würde, aber nichts geschah; ich badete und wagte nicht, den Kopf ins Wasser zu tauchen, doch nichts war zu hören; ich lag im Bett, kein Klopfen, kein Rufen, kein Steinchen, das an meine Fensterscheibe flog, und dabei konnte es gar nicht anders sein, als dass auch er wach war: dass auch er mein Gesicht vor seinem sah, wie er es zwischen die großen Hände nimmt und küsst; wie wir die Glieder ineinander verschlingen, so dass wir wie ein Nest voller Schlangen aussehen. Wenn er jetzt durch die Tür hindurch meinen Namen riefe, würde ich ihm öffnen und mich nicht an seinen drolligen Ohren und den polierten Augen stören, nicht an seinen unmöglichen Locken und den langweiligen Erzählungen.

Mein Cousin ist ein Mann, der beim Anblick des Meeres an die Weltumsegler denkt, an Kolumbus, Magellan, Vespucci, Drake. Er nimmt es dem Meer übel, wenn es sich zurückzieht; es muss stürmen und die Zähne blecken, es muss ihn mit sich fortreißen, darf sich nicht anschleichen, es muss gefährlich sein, ein fremdes, unwirtliches Element (er findet: das letzte Wagnis). Er verachtet die Ostsee. Für ihn ist sie ein Witz von einem Meer. So sagt er es: ein Witz von einem Meer. Und dann spuckt er in sie hinein, wütend, als werfe er ihr den Fehdehandschuh hin.

Nach hundert Schritten fragte ich, wie hast du geschlafen? Mein Cousin blieb stehen, sah aufs Meer, dann sah er mich an und sagte, schlecht. Sein Mund verzog sich, er schnaubte leise und wiederholte, schlecht, sehr schlecht. Eigentlich – er lächelte verschwörerisch – habe ich so gut wie gar nicht geschlafen. Auch ich konnte inzwischen kaum noch ernst bleiben. Oh, das tut mir leid, sagte ich und mit gespielter Schüchternheit: Und warum, wenn die Frage erlaubt ist? Ein kleines Kind, nicht älter als ein, zwei Jahre, lief vor uns über den feuchten Sand, linkisch auf den krummen, dicken Beinchen, mit nichts als einem hellblauen Sonnenhut bekleidet. Mein Cousin sah ihm nach und sagte, du ahnst also nichts? Er bückte sich nach einer Muschel, die er sorgsam vom Sand säuberte. Wie scheu er war! Und jetzt hob er den Blick, und vielleicht war es das erste Mal in diesen vier Tagen, dass wir uns wirklich ansahen. Doch, sagte ich und überbrückte den Abstand zwischen uns, indem ich nach seiner freien Hand griff. Er kniff die Augen zusammen und schmiss die Muschel ins Meer. Die Kellnerin, sagte er, du erinnerst dich? Ich habe sie nach ihrer Arbeit abgeholt und, nun ja, was soll ich sagen, sie war erfreut und nicht einmal überrascht. Er lachte leise, und die Muschel trudelte irgendwo, weit draußen im zahmen Meer, hinab, Drehung um Drehung beschreibend, bevor sie im nassen Sand zu liegen käme. Lass uns gehen, sagte mein Cousin, hier ist alles erledigt, und das Meer, er lachte spöttisch, haben wir auch gesehen, sag byebye. Und ich ließ seine Hand los und winkte dem Meer.

Liebeswahn

Was ihre größte Angst ist: in Widerspruch zu ihrem Namen zu geraten. Helena, da denkt jeder an Paris und wie er sie, die schönste aller Frauen, entführt, die Schönste, was heißt das schon, im besten Fall eine Blütezeit, kurz genug, und später dann, wenn sie faltig wie Dörrobst ist, wird sie immer noch Helena heißen, wie ein Aufbegehren, wie Augenwischerei.

Aber noch ist heute. Er ist an ihrem Haus vorbeigegangen, hat seinen Blick über die Fassade streifen lassen, hat ihr Fenster registriert, und sie hat hinter der Gardine gestanden, hat sie nur ein kleines Stück zur Seite geschoben, gerade so viel, dass er ihr Gesicht sehen konnte. Sie hat nicht gewunken, sie hat nicht einmal gelächelt. Sie hat den Vorhang zurückfallen lassen und sich im Zimmer umgeschaut, was noch zu tun sei; sie hat vor sich hin gesprochen, dies und das und hier noch aufräumen, sie hat an ihn gedacht, wie er mit seiner Tasche unterm Arm an ihrem Haus vorbeigeht, jeden Morgen zur gleichen Zeit.

Es gibt Namen, die passen. Juri. Wenn sie sich in der Straßenbahn begegnen, sehen sie sich an, sie könnten miteinander reden (ist der Platz noch frei?, oder etwas über das Wetter sagen, das seit Tagen unerträglich ist: Föhn, der die ganze Stadt im Griff hat), aber das ist nicht nötig. Sie weiß, wo er wohnt, sie kann am Abend, wenn sie aus dem Büro kommt, an seiner Wohnung vorbeigehen, erster Stock in einem gelben, hohen Haus. An diesem Abend plötzlich ein Windspiel vor einem der Fenster, sie kann es nicht sehen, aber deutlich hören: metallene Stäbe, die im Wind torkeln.

Außer Peter und Anna kommt nie jemand in ihre Wohnung. Sie gehen zielstrebig vom Flur ins Wohnzimmer und setzen sich auf das Sofa. Sie holt Getränke und beobachtet, wie Peter Zucker in den Tee löffelt und Anna sich suchend umschaut. Ich habe keine Milch, aber Zitrone? Nein, sagt Anna, geht schon. Natürlich merken sie ihr etwas an, merken: ein Strahlen (sagt Anna), ein Dauerlächeln, merken nicht: das Windspiel vor dem Fenster. Aber er hat es gesehen und sich gefreut. Wie heißt er?, fragt Peter. Juri, sagt sie.

Gott, ja, sie würde schon sagen: Haare von gesponnenem Gold, ein energisches Profil, die Figur eines Athleten, der Gang (vielleicht ist der überhaupt das Beste an ihm) leicht, federnd und doch so, als müsse er sich keine Sekunde auf die Richtung seiner Schritte besinnen, als sei alles schon lange beschlossen, kein Rätsel für ihn. Aber all das sagt sie nicht. Er ist Arzt, sagt sie, denn das weiß sie seit gestern, seit sie ihn in seine Praxis hat gehen sehen, eine Viertelstunde Fahrt von hier. Internist. Sie lacht, als Peter sagt, gute Partie. Später, schon an der Haustür, als Anna sie umarmt und sie noch einmal an die Aufführung erinnert, die sie unbedingt sehen, um keinen Preis verpassen soll, sagt Helena, das ist egal, weißt du, der Beruf, meine ich, was einer verdient. Klar, sagt Anna und geht raus zu Peter, der im Hausflur steht und ungeduldig mit dem Knöchel ans Treppengeländer klopft.

Was es bedeutet, dass er auf den rechten der beiden Stühle gewiesen hat, kann ihr natürlich niemand sagen. Was kann ich für Sie tun? Das ist eine Überlegung wert, denkt sie: Was kann ich für Sie tun?, nicht etwa ein unverbindliches: Was führt Sie zu mir?, oder, schlimmer noch, ein: Bitte? Mit dem Stethoskop lauschte er auf ihre Herzschläge, sie dachte, das galoppiert doch nur so, sie sollte husten, dann sehr tief atmen. Natürlich erkannte er sie, aber er ließ sich nichts anmerken, er sagte, ich kann nichts Auffälliges feststellen. Man musste auf die Blicke achten: Wie sie hierhin und dorthin gingen, ihren Körper absuchten, ihr Gesicht. Ein Stechen, sagten Sie? Eher ein Stolpern, ein schmerzhafter Sprung, Atemnot sekundenlang. Das sei nichts Ungewöhnliches, er empfehle: Ruhe bewahren. Sie sagte, ja, und dachte: Wie recht er hat. Denn es gibt tatsächlich Blumen, die sich im Überschwang zu Tode blühen. Ja, sagte sie noch einmal, und: Auf Wiedersehen. Er hielt ihre Hand, sie zählte mit, aber konnte das sein: zehn geschlagene Sekunden?

Dass es jetzt nur noch eine Frage der Zeit ist, dass die erste Aufregung schon bald der Gewöhnung weichen wird, davor hat sie Angst. Wenn sie ihn morgens zur Haltestelle gehen sieht, ist sie bereits weniger nervös: Da geht mein Mann (natürlich weiß sie, dass er noch nicht ihr Mann ist). Als sie sich in der Straßenbahn neben ihn setzt, nickt er ihr zu, sie sagt, hallo, erinnern Sie sich?, und er sagt nach kurzem Zögern, ach ja, dann noch einmal, ja; er nennt ihren Namen zum Beweis, sie seinen. Am dritten Morgen winkt er ihr zu, am vierten nimmt er seine Tasche vom Nebensitz, als sie vor ihm steht, am fünften sitzt ein Mädchen neben ihm, das pausbäckige Gesicht über ein Buch gesenkt, mit zwischen den Haaren hervorbrechenden Ohren. Am achten Morgen drängelt sie, ergattert zwei Plätze und ruft seinen Namen, als er den Gang entlangkommt. Am elften besteigen sie gemeinsam die Bahn und halten sich an den Stangen über ihren Köpfen fest, während sie ein Gespräch führen, das von Schweigen durchlöchert ist wie ein altes Tuch. Sie fährt eine Station weiter als er, dann steigt sie um in die Bahn, die in die Gegenrichtung fährt.

Und es kommt ein Mittwoch, an dem die Kioskbesitzerin schimpfend die Zeitungen sortiert und der Kellner im Café Florian sich schon am frühen Morgen den Schweiß von der Stirn wischt, und sie beobachten in der Bahn einen Mann mit einem kleinen Kind, nicht älter als zwei, drei Jahre, und wie das Kind wütend wird (nein, nein, nein, nein!, ruft es immer wieder), wie es den ganzen, kleinen Körper anspannt und mit den winzigen Fäusten auf die Schulter des Vaters trommelt, der es anschaut, so teilnahmslos wie ein Karpfen, sie sehen eine Zeit lang zu, dann zieht Juri eine Grimasse, die sie zu Verbündeten macht, er sagt etwas Belangloses, sie hört die Worte und versteht den Sinn, der sich dahinter verbirgt, sie bemerkt die Taubenfarbe seiner Augen und einen frischen Schnitt an seinem Kinn, sie sagt: Ja.

Es ist kein Missverständnis: Er will mit zu ihr. Geht das?, fragt er, fragt es immer wieder, wie ein Mantra, eine Zauberformel, während sie die Treppe zu ihrer Wohnung hochsteigen, die endlos scheint und sich windet wie eine Spirale, und dann sind sie plötzlich in ihrem Schlafzimmer, sie lässt sich die Schuhe, die Bluse, den Rock, die Strumpfhose ausziehen, lässt sich von ihm aufhaken und hinlegen und die Beine krümmen. Sie mag seinen Geruch, mag es, wenn er sagt, ich will dich ficken (den rauen Klang dieses Wortes: fast wie eine Zote); sie kann ihn und sich von oben sehen: ein vielgliedriges Ornament; sie mag die kurze Panik, wenn er ihren Kopf mit beiden Händen führt, wenn er sie formt und weitet und zurechtbiegt.

Sie wacht auf am Morgen und er ist nicht da, nichts deutet auf ihn hin, kein Kleidungsstück, kein Glas, aus dem er getrunken hat, kein blondes Haar auf seinem Kopfkissen; er muss alles aufgeräumt, weggewischt, eingepackt haben, auch seinen Geruch, denkt sie: verschnürt wie ein Paket und mitgenommen. Es gibt Tiere, die sich vor ihrem Schicksal zusammenrollen, die unbeweglich verharren, und solche, die davonstürmen. Sie schlägt mit beiden Händen einen Galopp auf ihrem nackten Bauch; das sind so Koketterien, denkt sie, vielleicht auch wirklich Angst: die Angst des Läufers vor dem Ziel.

Aber es war – sie hat einen leichten Kloß im Hals, am liebsten würde sie Anna umarmen –, sie sagt: traumhaft; nein, korrigiert sie sich: großartig. Ach wirklich, ja? Anna sitzt mit verschränkten Armen auf der Fensterbank; sie lächelt und kann es sich doch nicht vorstellen, aber bereit ist sie, sich das fremde Glück anzustecken wie eine Brosche. Erzähl, sagt sie, was hat er gesagt, wann seht ihr euch wieder? Bald. Helena zuckt mit den Schultern, wiederholt, bald schon. Sieht sie an Anna vorbei, kann sie auf der gegenüberliegenden Straßenseite einen Mann beobachten, der ein Plakat auf die Werbetafel klebt, drei vertikale Streifen, die er mit einem breiten, leimtropfenden Pinsel feststreicht, das Foto einer Frau mit Motorradhelm, auf Seifenblasen Städtenamen: Prien, Gstadt, Seebruck, Palling, davor die Worte: Der Chiemgau kocht. Was hat er sich dabei wohl gedacht? Sie sagt zu Anna, sieh mal, sie zeigt aufgeregt nach draußen; na, das Plakat, sagt sie ungeduldig, als Anna sie nicht versteht, dann lacht sie auf, aber natürlich, das alles will er mit ihr erkunden, gemeinsame Reisen unternehmen, in die nähere Umgebung, die fernere – denn heute morgen lag bereits ein Prospekt in ihrem Briefkasten, darauf Fiaker, ein Kaffeehaus, Spardosen in Form des Stephansdoms; keine Nachricht dazu, nur der Prospekt, und sie hat ihm eine Postkarte geschickt: Ein Frosch, der mit großen Augen über den Rand eines Einmachglases klettert.

So sieht keine Prinzessin aus, denkt Helena, so ungelenk, wie die sich aus dem Sessel stemmt und über die Bühne stapft mit milchigen, dicken Waden und wippenden Löckchen; erlaubt ist, was sich ziemt, mein lieber Tasso – er: die Lorbeeren auf dem Kopf, die er erst noch verdienen muss, und diese hausbackene Prinzessin liebend. Auf dem Weg ins Theater, in der von hohen Backsteinhäusern umstellten Straße, die lang und schmal ist wie ein Korridor, hatte sie den Kopf in den Nacken gelegt und ein Klavier über sich entdeckt, wie es, von Seilen gehalten, in Höhe des vierten Stocks hing, ein fetter, schwarzer Vogel, den es mit guten Worten und viel Kraft durch eine Balkontür zu lotsen galt. Auch das wäre Schicksal, wenn jetzt die Seile rissen, war es ihr in den Sinn gekommen. Im Dunkeln sitzend, das Programmheft auf dem Schoß, entdeckt sie, als der Vorhang sich wieder öffnet, drei Reihen vor ihr einen Hinterkopf, der dem seinen zum Verwechseln ähnelt. Als sie vorhin an seiner Wohnung vorbeiging, sah sie in einem Zimmer ein Licht, sie wusste, dass er ans Fenster kommen würde, gerade in dem Moment, in dem sie daran vorbeilief; sie hat die Schultern gestrafft, sie hat der Versuchung widerstanden, sich umzudrehen. In der Pause beobachtet sie im Wandspiegel, wie sie lächelnd erträgt, dass einer zu ihr kommt, sich neben sie an die zu Marmor stilisierte Holzsäule lehnt, ihr ein Glas Sekt anbietet, ihr zuprostet. Frederick. Er rollt das R und kommt aus der Pfalz, er findet alles zu viel in dieser Stadt (zu viel Lärm, zu viele Autos, zu viele Snobs), er selbst trägt einen Anzug in verräterischem Minzgrün. Sie nennt ihm ihren Namen und verlässt nach der Aufführung das Theater durch den Hintereingang.

Da sind sie. In derselben Bahn, doch getrennt, weil die Schüler beim Einsteigen gedrängelt haben, die Ellbogen, die eckigen Tornister, mit denen sie sich Raum schaffen, im Anschlag, und sosehr sie auch hat kämpfen wollen, ist sie doch abgedrängt worden. Sie kann Juris Hand sehen, wie sie über die Köpfe der Umstehenden ragt, sich an einer der grauen Schlaufen festhält, die Manschette, den dunklen Stoff seines Jacketts, dann schließlich seinen Kopf, vorgestreckt, seinen Arm, der die Tasche umklammert, ein Stück seiner Beine. Sie lächelt, als er an ihr vorbeigeht, doch er sieht sie nicht an, murmelt Entschuldigungen und verlässt eilig die Bahn. Am nächsten Morgen sitzen sie wieder nebeneinander, er liest in einer Zeitschrift, sie schweigt geduldig, spürt die Berührung seines Unterarms an ihrem und steht auf, als er aussteigen muss.

Was er verschwiegen hat: Die andere Frau. Und das Kind. Ein kleiner Junge, blass wie ein Dezembertag, die Hand in seiner, als er mit ihm die Straße runtergeht, während die Frau im Vorgarten steht, in die Sonne blinzelt, eine Hand an die Stirn legt, sich dann nach einem Spielzeug bückt, einem rot glänzenden Bagger oder Laster, ihn aufhebt, ohne ihn anzuschauen, den Pferdeschwanz zurückwirft, wie eine Bekräftigung. Auf halber Strecke beginnt er zu laufen, nimmt das Kind, das zweimal gestolpert ist, auf den Arm, dann verschwinden sie im Supermarkt, sie sieht auf

die Uhr, kurz vor Ladenschluss, ein Mann schiebt seinen Einkaufswagen an ihr vorbei auf den Parkplatz, sie hört das metallische Geräusch der Räder auf dem Asphalt, Musik, sobald die Schiebetüren
aufgleiten, ein Hund bellt, ein hohes, aufgebrachtes Kläffen – und
kann das sein, dass sie Pantoffeln trägt? Sie kauft eine Postkarte,
darauf ein Kaktus mit langen, wehrhaften Stacheln, auf die Rück-
seite der Karte schreibt sie: Wie bitte soll ich das verstehen?

Denk dir eine Zahl zwischen eins und zehn, sagt Frederick,
und sie denkt: vier, nun verdopple die Zahl, dann addiere zwei, hast
du das?, ja, sagt sie, dann mal fünfzig und plus sechs, jetzt müsste
die erste Ziffer die Ausgangszahl sein. Nein, sagt Helena. Er sieht
sie, Messer und Gabel wie Taktstöcke in den Fäusten, unzufrieden
an; dann sagt er, na ja, und beugt sich wieder über seinen Teller,
spießt das nächste Stück Fleisch auf, häuft dazu Reis und Gemüse
auf die Gabel, trinkt Wein. Sie kann sich beim besten Willen nicht
vorstellen, ihn zu küssen. Ob sie Angst vor der Zukunft habe. Tor-
schlusspanik? Er lacht versöhnlich. Was soll ich mit so einer jungen
hübschen Pute? Du hingegen –. Er lässt sie auf dem Heimweg nicht
aus den Augen, stolpert fast, im Eifer, sie zu beeindrucken. Natürlich habe er Ideale und die seien nicht nur materieller Natur. Er
zählt an einer Hand ab: Geist, Geschick, Geduld, Großmut und ein
kleines bisschen Größenwahn – seine fünf Gs, mit denen er durchs
Leben gehe. Dann leise: Ein sechstes G fehle noch: die Geliebte.
Aber, du lieber Himmel, das kann er ja nicht ernst meinen! Ich habe
einen Freund, sagt sie kühl, als er sich, in seinen zu eng geschnitte-
nen Anzug gepresst, zu ihr hinbeugt. In der Nacht ruft sie bei Juri
an, lässt es drei Mal klingeln und legt dann auf. Ich weiß, dass wir
Geduld haben müssen, schreibt sie, und dass er ihr vertrauen kann:
Ich werde auf dich warten.

Wenn nur nicht alle Bemühungen von ihr ausgehen müssten. Aber natürlich versteht sie ihn, kann sie sich seine häusliche

Situation vorstellen, die Strapazen, die sich in seinem halben Lächeln, dem besorgten Gesichtsausdruck spiegeln. Also bemüht sie sich, dass sie sich wenigstens einmal am Tag sehen können. Und seine Enttäuschung, wenn sie es einmal nicht schafft! Verschlafen hatte sie, da hat er sie am nächsten Tag ignoriert, ist an ihr vorbeigegangen, aus der Bahn gestiegen, ohne sich umzuschauen. Haben Sie Stress?, fragt er, als sie in der Praxis sitzt, den Oberkörper entblößt, und sie weiß, was er hören will, aber sie hat auch ihren Stolz und sagt nur: Ein wenig. Ob ihn das beleidigt, diese Zurückweisung? Er sagt, ich kann noch immer nichts finden, vielleicht sollten Sie zu einem Spezialisten gehen. Er sagt: Wenn Sie mit mir reden wollen? Sie zuckt mit den Schultern. Danke, schreibt sie später, für dein Verständnis, deine Liebe. Und: Verzeih mir. Sie legt den Brief mit einer Schachtel Konfekt vor seine Tür. Das Windspiel hat er abgehängt; sie legt ihres in die Schublade der Kommode.

Er sieht müde aus. Wenn sie sich in der Bahn begegnen, im Supermarkt oder im Bistro, das neben seiner Praxis liegt und in dem er, nicht jeden Tag, aber oft, ein Sandwich isst oder eine Suppe, nickt er ihr zu, schaut dann gleich wieder weg, als gebe er ihr die Schuld an der Größe dieser Liebe, an ihren Folgen; sie möchte dann sagen, auch für mich ist es nicht leicht. Wenn er sie ignoriert, ist sie manchmal so wütend, dass sie beschließt, sich zurückzuziehen, ihm nicht mehr zu folgen, keinen Abend, kein Wochenende mehr im Auto zu verbringen, um ihn wenigstens von ferne zu sehen. Zu sehen, wie er den Rasen mäht oder für das Kind ein Planschbecken aufstellt, wie er mit seiner Frau das Haus verlässt, beide in Abendgarderobe, wie er auf den Balkon tritt, die Hände auf die Brüstung stützt, den Garten betrachtet oder die Straße, und so verweilt für einige Minuten, wie er dem Jungen einen Bogen biegt aus einem langen, dünnen Buchenzweig. Zu sehen, wie er spät am Abend die Babysitterin, ein junges Mädchen, zu ihrem Auto begleitet, ihr, kaum dass sie im Vorgarten sind, eine Zigarette anbietet, zwei rote Punkte in der Dunkelheit, zu hören, wie sie lachen: das Mädchen hell und spitz, und sein Lachen, das er ihr darreicht wie ein Kompliment.

Zu Anna sagt sie: Es ist nicht immer einfach. Wir leiden sehr. Wird er sich denn trennen von seiner Frau? Ja, sagt Helena, bestimmt; wir treffen uns, wann immer es geht. Du solltest seine Augen sehen: taubengrau. Ach ja, sagt Anna, schön, aber reicht das? Sie sieht Helena besorgt an, legt ihr nun doch ein Stück Kuchen auf den Teller, sagt, iss mal was, hörst du, und Helena nickt und bricht mit der Gabel einen Bissen ab, schiebt die Erdbeere herunter, pickt sie mit den Fingern auf. Wenn er nachts ans Telefon kommt, klingt seine Stimme erschöpft, manchmal wird er wütend, dann hält sie den Hörer ein Stück von ihrem Ohr entfernt. Was wollen Sie, schrie er gestern Nacht in den Telefonhörer, wer sind Sie? Aber konnte das wirklich sein, dass er das nicht wusste, dass er nicht verstand: nur atmen zu müssen und auf ihren Atem zu hören? Nein, er schrie, um sich nicht zu verraten, seine Frau muss neben ihm gelegen, sich ungeduldig aufgesetzt und ihn nachher mit Fragen gequält haben. Stell ihn vor die Wahl, sagt Anna, sie oder du. Wenn das so einfach wäre, sagt Helena.

Natürlich sind das Fesseln, die sie sich freiwillig anlegen. Liebst du mich?, flüstert sie, dann lacht sie (ja, ja, mehr als das). Wenn sie es einmal vergisst, muss sie nur die Beweise vor sich ausbreiten: den Reiseprospekt, die Blume, die eines Tages vor ihrer Haustür lag, eine Sonnenblume, schon von der Hitze matt, jetzt nur noch ein Kreis brauner leerer Waben, das Inserat, das am Wochenende in der Zeitung stand (der Gruß an die Unbekannte aus der Bahn), schließlich der Zettel in ihrem Briefkasten, der für eine astrologische Beratung warb: alle Sternzeichen aufgemalt, aber nur der Fisch (das war sie) und der Löwe umkreist; das passt nicht schlecht, sagt die Astrologin, das passt gar nicht schlecht, aber Sie müssen eine Entscheidung treffen, Sie neigen zur Unentschlossenheit, das wissen Sie ja, der ungünstige Neptun-Einfluss. Ja, sagt sie, ich weiß.

Diesmal parkt sie das Auto näher am Haus. Ein Käfer setzt sich auf die Windschutzscheibe, die Unterseite des länglichen Leibes ist grau, mit feinen Querlinien und einem spitz zulaufenden Hinterteil, seine schwarzen, dünnen Beine sind in der Mitte geknickt und mit winzigen Widerhaken versehen, die Fühler des Käfers vibrieren, er spreizt die durchsichtigen Flügel, dann legt er sie wieder an, als habe er beschlossen, noch ein wenig auf der warmen Scheibe auszuruhen. Sie kennt das aus ihrer Kindheit: eine plötzliche, bestürzende Liebe zur Kreatur, die, mit Namen versehen und der Vorstellung eines Lebens, nun nicht mehr getötet werden kann; wie viele Mückenstiche hat sie deshalb in Kauf genommen, wie viele Fliegen, die durch ihr Zimmer flogen. Dann waren da die Visionen: die Tierwelt verbündet mit ihr, die Fliege, die ihr das Gewünschte herbeizaubert, die Biene, die in ihrem Auftrag sticht.

Die Frau hat das Haar im Nacken zu einem Knoten gebunden, sie ist stämmiger, als Helena sie in Erinnerung hatte, ein weites Kleid, unter der Brust geschnürt, reicht ihr bis zu den Knien, sie setzt den Jungen in den Kindersitz, schließt die Schnalle des Helms unter seinem Kinn, dann steigt sie selbst aufs Rad, beginnt schon im Vorgarten zu fahren, sehr langsam zunächst, sie fährt durch das Tor, blickt nach rechts und links und schwenkt auf die Straße ein, wird schneller, der Junge spreizt die Arme, beide Hände. Helena startet den Wagen. Ist das denn noch Liebe, hat Anna gefragt, diese Lügen, diese Opfer, die er dir abverlangt? Seit Wochen siehst du blass aus. Lass mich, hat sie geantwortet und sich abgewandt; du mit deiner Bausparliebe, deinem Bausparmann, hat sie gedacht.

Der Käfer sitzt immer noch auf der Scheibe; sie stellt sich vor, wie er sich gegen den Luftzug stemmt, das schwarze Gesicht gesenkt, während der Wind an den Fühlern reißt. Bei welcher Geschwindigkeit werden seine Beinchen nachgeben? Wird ihm einfallen zu fliegen, wenn er den Boden unter den Füßen verliert?

Ben Hur

Wir haben genau zwei Möglichkeiten, sagt der Arzt. Er streichelt Tobys Kopf, und der Hund blinzelt, legt die Ohren an und hebt die Stirn der Hand entgegen. Wir können ihm eine Art Rollwagen verpassen, an dem er sich die nächsten Jahre durch die Gegend schleppt, oder wir schläfern ihn ein, was, wenn ihr mich fragt, das Beste für ihn wäre. Toby stößt seine Schnauze sanft gegen den Arm des Tierarztes, er will weiter gestreichelt werden, doch der Arzt tritt einen Schritt zurück und betrachtet den Kalender an der Wand, als könne er darauf die nächsten Jahre sehen und Tobys weiteres Leben. Hat er denn Schmerzen?, fragt Jasper, und ich kann hören, dass er einen Kloß im Hals hat. Nein, sagt der Arzt, das nicht. Auf dem Regal hinter ihm steht das Foto eines Leguans, daneben das bonbonbunte Aquarell eines Papageis. Für Papa, steht in Kinderschrift darüber. Der Tierarzt sieht uns abwartend an. Er hat blondiertes Borstenhaar, er sieht aus wie einer dieser Männer, die nicht erwachsen werden wollen. Jasper räuspert sich. Woher bekommen wir so ein Rollgerät?, fragt er. Da gibt's verschiedene Anbieter, das sollte kein Problem sein, sagt der Arzt. Sein Ton zeigt, dass er Jasper für seine Entscheidung verachtet, sie aber ohne weitere Diskussion akzeptieren wird. Er tritt näher an den Behandlungstisch heran, und Toby wedelt zaghaft mit dem Schwanz. Na dann, alter Junge, sagt der Arzt, machen wir dem Elend also heute noch kein Ende.

Jasper sagt: Ich könnte Toby nie einschläfern lassen. Wir fahren über die Brücke, rechts und links fliegen die Betonpfeiler an uns vorbei wie graue, starre Vögel, unter uns strömt der Fluss, den ich gestern ziemlich lange angeschaut habe, als ich mit Gregor aus der Stadt kam und wir uns stritten. Du weißt nicht, was du willst, das ist dein Problem, sagte Gregor, und ich schwieg und dachte, mein Problem ist, immer zu glauben, das, was ich nicht habe, sei besser als das, was ich habe. In unserem Rücken fuhren die Autos vorbei, Gregor sagte, warum kannst du ihn noch mal nicht verlassen?, und ich sagte, es ist gerade ein schlechter Zeitpunkt, sein Hund ist angefahren worden.

Das stimmt nicht ganz; Tobys Unfall liegt schon einige Zeit zurück. Es war seine eigene Schuld, er hat sich von der Leine gerissen und ist über die Straße gerannt, einem anderen Hund hinterher, aber natürlich macht es das nicht besser, eher schlimmer, denn nun muss Jasper nicht nur für die Operation des Hundes aufkommen, sondern auch noch für einen Blechschaden. Gregor sagte, irgendwann wirst du dich entscheiden müssen, das ist dir doch klar, oder? Ja, sagte ich. Und dann sagten wir beide eine Weile nichts und schauten aufs Wasser, auf die Kringel und Wellen, einmal auf ein unter uns fahrendes Schiff und seinen langen schaumigen Kaulquappenschwanz.

Jasper sagt, weißt du, wie lange ich Toby schon habe? Acht Jahre, und eines kann ich dir verraten: Mir ging's damals nicht gut, er hat mir sehr geholfen. Ja, sage ich, das hast du schon oft erzählt. Jasper hebt Toby aus dem Auto und trägt ihn zum Haus. Im Wohnzimmer legt er ihn auf das weiße Schaffell, auf dem Toby nachts schläft, und Toby sieht uns von unten herauf an, so geduldig, als wolle er sagen, er halte das aus. Seit dem Unfall sind seine Gesten sparsam geworden. Jede Bewegung strengt ihn an; nur wenn man ihn mehrere Stunden alleine gelassen hat, versucht er aufzustehen.

Am Abend auf der Feier erzählt Jasper von der Sache mit Toby, und alle, besonders die Frauen, stimmen ihm zu; so einen Rollstuhl für Hunde, sagt eine Rothaarige mit blassen Augen, habe sie schon einmal im Fernsehen gesehen. Der Hund hatte genauso viel Spaß wie ein gesunder Hund, sagt sie, der ist rumgerannt und hat sogar einen Ball apportiert, und Jasper sieht sie dankbar an und sagt, das glaube ich gern.

Vom Badezimmer aus rufe ich Gregor an. Soll ich dir eine Geschichte erzählen?, frage ich leise. Ja, sagt er, wenn du magst. Es geht um zwei, die sich lieben, sage ich und drehe beide Wasserhähne auf, damit mich niemand hört, und wie sie sich lieben. Ich gebe meiner Stimme einen verheißungsvollen Klang. Wie denn?, fragt Gregor. Sehr, sage ich, so sehr, dass sie, sobald sie getrennt sind, aneinander denken. Und was denken sie?, fragt Gregor. Dass sie sich unbedingt bald treffen müssen, sage ich, und wie der andere aussehen wird, überlegen sie, ob sie sich an alles erinnern oder ob sie eine Kleinigkeit vergessen haben, einen Haarwirbel oder eine Narbe oder einen Leberfleck am Bauch, aber wenn sie sich dann wiedersehen, ist alles, wie es war, nein, korrigiere ich mich, noch besser ist es, und dann küsst er sie, er lässt keine Stelle ihres Körpers aus, er küsst sie auf den Mund, den Hals, die Arme, die Brüste und zwischen die Beine, es ist, als markiere er sein Territorium, damit sie nie wieder ein anderer an den Stellen berührt, die er geküsst hat, und auch sie küsst und leckt ihn, als müsse sie ihn säubern von all den Küssen, die er schon erhalten hat.

Ich ziehe die Klospülung und betrachte mich im Spiegel, das kurze, blonde Haar, die schmalen Lippen, die nur schön aussehen, wenn ich sie ein wenig vorstülpe, als wolle ich jemanden locken oder tadeln.

Und dann?, fragt Gregor. Tja, dann, sage ich, was hättest du denn gern? Weiß nicht, sagt er. Weiß nicht haben wir nicht, sage ich. In der Wohnung gegenüber trägt ein Mann mit hellgrauem Façonschnitt eine Topfpflanze quer durch den Raum. Am anderen Ende der Leitung ist nichts als Stille. Gregor?, frage ich, und er sagt, ja, und ich sage, dann schlafen sie miteinander, erst kniet er hinter ihr, später liegt er auf ihr, sie umklammert ihn so fest mit Armen und Beinen, dass er kaum Luft bekommt, dann setzt sie sich auf ihn, und er beobachtet sie, wie sie sich vor und zurück wiegt und dabei die Augen schließt. Ihre Lust ähnelt einer dieser Kerzen, die sich nicht auspusten lassen, sondern immer wieder aufflackern: nur für Minuten haben sie Ruhe, dann ist das Verlangen wieder da, fast stärker noch als zuvor, und obwohl sie müde sind und hungrig und durstig, haben sie gleichzeitig das Gefühl, nichts mehr zu brauchen: keinen Schlaf, kein Essen, auch nichts zu trinken, und das, sage ich, ist gefährlich; vielleicht wird es ihnen ergehen wie den Mäusen. Welchen Mäusen?, fragt Gregor irritiert. Eine Mäuseart aus Australien, erkläre ich, diese Mäuse ficken so lange, bis sie mitten im Akt sterben, sie kollabieren einfach, so erschöpft sind sie, so müde und hungrig. Gregor lacht leise. Nettes Ende, sagt er. Es klopft an der Tür und ich rufe, gleich, einen Moment noch! – Wenn ich sterben muss, dann so, flüstere ich ins Telefon. Ja, sagt er, das klingt gut.

Als ich ins Wohnzimmer komme, haben sie angefangen zu tanzen. Jasper steht am Rand des Zimmers, er spricht mit der Rothaarigen, und ich gehe zu ihm und lege ihm eine Hand auf den Arm. Lasst euch nicht stören, sage ich, und Jasper sagt, du störst nicht. An seiner Stimme merke ich, dass er zu viel getrunken hat. Das stimmt, gesteht er, ein bisschen viel war's schon. Die Rothaarige fährt sich mit der flachen Hand über den Pullover, als müsse sie Fusseln davon abwischen, dann sieht sie sich im Zimmer um, auf der Suche nach einem Fluchtweg. Ich nehme Jaspers Hand und ziehe ihn in die Mitte des Raumes, wir tanzen langsam, und er legt seinen Kopf auf meine Schulter und fragt, wo bist du gewesen? Im Bad, sage ich. So lange?, fragt Jasper. Er hebt seinen Kopf von meiner Schulter, gerade weit genug, um mir ins Gesicht zu schauen. Er kneift die Augen zusammen und betrachtet mich forschend. Er versucht, sich zu konzentrieren; er sieht aus, als glaubte er, nur das Gefühl des Schwindels bekämpfen zu müssen, um mich zu durchschauen. Dann lässt er seinen Kopf gegen meinen sinken, so dass wir Stirn an Stirn weitertanzen wie bei einem Geschicklichkeits-spiel, seine Augen sind so nah und dunkel, dass sie keine Pupillen haben, er flüstert, bleib bei mir, okay?

Gregor ist lange nicht so schön wie Jasper. Er ist klein und kräftig, auf den ersten Blick sieht er fast verwachsen aus, seine Arme scheinen zu kurz zu sein, sein Kopf zu groß. Er hat blonde Haare, die dick und störrisch sind wie die Borsten eines Besens. Die Augen sind so, dass man sie sofort vergisst, grün oder blau oder ein Graugemisch. Das Schönste an ihm sind seine Hände und Ohren; sie sind hübsch geformt, sie lassen ihn empfindsam aussehen, als ahne er mehr, als er sagt. Ich habe ihn durch eine Verwechslung kennengelernt. Auf einer Vernissage stand er vor dem Foto eines Tisches, der aus einem Hochhaus stürzt, und unterhielt sich mit einer Frau in rot-weiß geblümtem Kleid. Ich tippte ihm auf die Schulter und sagte, ich kenne dich, und er musterte mich und ent-gegnete, ich dich nicht. Später stellte sich heraus, dass er einem Schauspieler ähnelt und mir darum vertraut vorkam. Er sagte, das passiere ihm manchmal. Er sagte nicht, diesmal freut es mich, er sagte nicht, Gott sei Dank. Vier Tage später rief ich ihn an. In ei-nem Restaurant am Fluss trafen wir uns. Nach der Vorspeise sagte er, ich wusste nicht, ob du anrufen würdest, aber ich habe es mir sehr gewünscht. Ich fragte, wie sehr?, und er sagte, so sehr, dass ich abergläubisch wurde. Wegen dir habe ich Orakel erfunden: Du würdest anrufen, wenn der nächste Passant eine Frau wäre. Wenn der Bus pünktlich, wenn das übernächste Lied ein Liebeslied wäre. Das ist albern, sagte ich, und er sagte, das ist wahr. Spät am Abend fuhr er mich nach Hause, ich stieg aus dem Auto und zog die Musik wie den Zipfel einer Decke hinter mir her, I'm so happy to be stuck with you, sang Huey Lewis, und ich überlegte, was das heißt: Ob er froh ist, dass etwas anfängt oder dass es aufhört.

Alles klar?, fragte Jasper vier Tage später. Ich sah auf und war überrascht, dass er es war, der vor mir stand. Du wirkst verwirrt, irgendwie abwesend, er stellte den Topf mit Reis vor mich hin, der Reis war bis obenhin verbrannt, es stank entsetzlich. Ich sagte, es ist nichts, ich dachte, ich muss versuchen, nicht verrückt zu werden.

Jasper hebt Tobys Hinterteil hoch, und ich schiebe den Rollstuhl darunter, stecke die schlaffen Hinterbeine in die Löcher und schließe den Gurt. Toby steht zitternd auf seinen Vorderbeinen und sieht sich ängstlich nach dem Gerät um. Als er die ersten Schritte macht, schlenkert der Rollstuhl hin und her. Ich ziehe den Gurt straffer. Eigentlich, sagt Jasper, ist das gar kein Rollstuhl, Toby sitzt ja nicht, es ist eher eine Rollbahre. Ja, sage ich. Der Hund macht einen weiteren Schritt, das Schlenkern hat nachgelassen, trotzdem stößt er einen einzelnen, fragenden Laut aus, ein kurzes Bellen, dem er mit schräg gelegtem Kopf nachlauscht. Na komm, sagt Jasper und kniet sich ein paar Meter von Toby entfernt auf den Boden, in der Hand ein Stück Schinken. Toby bewegt sich unsicher auf ihn zu. Mit vorgerecktem Hals nimmt er den Schinken entgegen. Brav, lobt Jasper, gut machst du das. Am Nachmittag läuft der Hund langsam durch das Haus, er inspiziert die Wände, das Sofa, die Regale, er stellt sich vor die Terrassentür, als begutachte er den Garten, er blickt in jedes Zimmer, bleibt manchmal unschlüssig stehen. Er benimmt sich wie jemand, der nach langer Zeit ins Haus seiner Kindheit zurückgekehrt ist. Jede seiner Bewegungen wird von einem metallischen Geräusch begleitet; besonders laut scheppert es, wenn er über den braunen Kachelboden der Küche läuft.

Den Boden wechseln wir bald einmal aus, sagte Jasper, als wir vor zwei Jahren in dieses Haus einzogen. Es ist das Haus seiner Eltern, die sich damals entschieden hatten, in einem Wohnprojekt zu leben, in dem Alte und Junge, Alleinstehende und Familien zusammenwohnen. Etwas für Individualisten mit Gemeinschaftssinn, erklärte Jaspers Vater und zeigte uns den Prospekt der Anlage, in der es acht einzelne Wohnungen in vier Häusern gibt und einen gemeinsamen Garten samt Grillplatz, Spielgeräten und künstlichem Teich. Ihr müsst da bestimmt babysitten, warnte Jasper, und seine Mutter warf ihm einen kühlen, traurigen Blick zu und sagte, das hoffen wir, das hoffen wir sehr. In den ersten Wochen hatten wir überlegt, welche Farbe der neue Boden in der Küche haben sollte: Ich schlug blau vor, Jasper rot, ich sagte weiß, Jasper grün, ich sagte Parkett, und Jasper sagte Linoleum, und darum ist er braun geblieben, ein Braun, das an feuchte Erde erinnert und auf dem man Flecken erst sieht, wenn sie schon getrocknet sind.

Ich würde dir gerne Unterwäsche kaufen, sagt Gregor am Abend. Rote, schwarze, weiße, ich würde dich an- und ausziehen, du müsstest vor mir rumstolzieren, schön und eitel. Seine Stimme ist rau, als ob er geschrien hätte. Er sieht mich nicht an, während er spricht. Er sagt, ich möchte überall einmal mit dir schlafen, in jedem Raum dieser Wohnung, vor jedem Fenster, auf der Fußmatte im Flur, in der Dunkelkammer. Er liegt neben mir auf dem Bett, wir schauen beide an die Decke, in deren Ecken sich Spinnweben ausbreiten, zart und makellos, und ich sage, tu's doch. Aus der Nachbarwohnung hören wir Musik, aber nur den Bass, einmal schreit eine Frau: Essen!, sie schreit es so laut, als gelte es, Kinder vom Hof zu holen, aber im Hof spielen jetzt keine Kinder mehr, da sind nur Katzen, dann und wann ein Obdachloser, der die Mülltonnen durchsucht, einmal ein Fuchs. Gregor steht auf und macht das Licht an, er zieht die Vorhänge zur Seite, nackt steht er vor dem Fenster, ich betrachte seinen Hintern, die kräftigen Beine mit den krausen blonden Haaren, seinen Rücken, die Muttermale darauf, seinen Hinterkopf, ich sage, komm, und er kommt zu mir, er küsst mich, er legt mich in Positur wie eine gelenkige Schaufensterpuppe, damit jeder, der will, uns sehen kann: seine Hände auf mir, mein Gesicht, die Verzückung darin.

Toby rennt. Er sieht aus wie Ben Hur, sagt Jasper, nur dass er beides auf einmal ist: Wagenlenker und Pferd. Wir schmeißen Toby Stöcke, und er bringt sie alle zurück, er legt sie uns vor die Füße und duckt sich mit dem Oberkörper gegen den Boden, so wartet er, bis wir erneut den Stock werfen und er mit seinem Rollwagen losstürzen kann. Die Leute betrachten ihn interessiert. Wenn er spielt, sagen sie, wie praktisch, so ein Gerät. Wenn er nicht spielt, fragen sie, ob es Sinn habe, den Hund leiden zu lassen. Ein Kind fragt seine Mutter, was ist mit dem Hund?, und die Mutter sagt, der ist kaputt.

Jasper zieht die Mütze tief in die Stirn, der erste Schnee kommt früh in diesem Jahr. Er zeigt auf die Bank am See, wollen wir uns setzen?, dann nimmt er meine Hand in seine, er fragt, hat sich etwas geändert zwischen uns?, und ich frage, was meinst du? Du weißt schon, sagt er, liebst du mich noch? – denn sonst, fährt er fort, muss ich die Sache beenden. Ich zucke mit den Schultern. Nicht lange, und der See wird zugefroren sein. Weißt du noch, frage ich, im letzten Winter? Wie wir hier Schlittschuh gelaufen sind? Toby rasselt mit seinem Wagen heran und stellt sich mit abwartendem Blick vor uns auf. Lenk nicht ab, sagt Jasper, und ich sage, ich kann nichts dafür. Zwei Kinder laufen vorbei, ein Junge und ein Mädchen, die die gleichen wetterfesten Anoraks anhaben und auch sonst aussehen wie Zwillinge. Der Himmel ist weiß wie ein leeres Blatt Papier, was in aller Welt soll man da tun? Am gegenüberliegenden Ufer steht eine mannshohe, eiserne Blume, auf deren Mitte jemand ein lachendes Gesicht gemalt hat. Das heißt?, fragt Jasper, und als ich nichts sage, wischt er sich mit seinem Wollhandschuh einige Male über das Gesicht. Wie konnte das passieren? Er fragt es so, als handelte es sich um ein Missgeschick, eine Fahrlässigkeit von mir. Womöglich hat er damit Recht. Habe ich etwas falsch gemacht?, fragt er. Ich sage: Das ist es nicht. Vielleicht wäre es gut, wenn er mich jetzt beschimpfen würde oder ich ihn: wenn ich sagen würde, ja, du hast etwas falsch gemacht, indem du immer mehr zu dem wurdest, der du von Anfang an warst. Vielleicht wäre es gut, alles zurückzunehmen, noch besteht die Möglichkeit. Vielleicht wäre es gut, eine Zigarette zu rauchen. Nein, sage ich, du hast nichts falsch gemacht. Es ist einfach so passiert. Dann ist es also vorbei, sagt er. Er sieht auf den Boden zwischen seinen Beinen, er hebt die Füße auf die Ballen und rollt sie wieder ab, hebt sie auf die Spitzen, lässt sie sinken, und ich lege ihm eine Hand auf den Rücken. Ich würde gerne etwas Kluges sagen, etwas, das alle Zweifel beseitigen würde, seine und meine, aber mir fällt nichts ein. Irgendwann steht er auf und geht zum Ausgang des Parks. Toby geht zwei Schritte mit, bleibt stehen, dreht sich noch einmal um, dann verlässt er mit Jasper den Park.

Das gibt ein Festmahl, sagt Gregor am Telefon. Komm so gegen acht, dann koche ich uns was.

Er häuft die Nudeln auf meinen Teller und schüttet Soße darüber, er sagt, iss was, er schenkt mir Wein nach. Wir essen und trinken sehr schnell. In seiner Küche macht er das Licht an, er sagt, zieh dich schon aus, ich komme gleich, und verlässt den Raum. Ich stelle mich ans Fenster, ich zeige mich von allen Seiten. Der Hof ist dunkel, in den anderen Häusern sind einige Fenster erhellt, ich kann niemanden sehen. Gut so, sagt Gregor, als er wieder in die Küche kommt. Er hält ein Geschenk in der Hand und legt es auf den Boden zwischen uns. Pack es aus, sagt er, und ich gehe in die Hocke, in den Ecken liegen Brotkrumen, Reiskörner und Staub. Er fragt, gefällt's dir? Die löchrige Spitze sieht aus wie Blutspritzer auf meiner Haut. Gregor sagt, dreh dich um, ich stütze mich auf dem Fensterbrett ab, er kann uns im Glas sehen, meine Brüste, mein Gesicht, bleich wie ein Mond.

Wir lieben uns jede Nacht. Wenn wir uns am Abend in seiner Wohnung begegnen, sind wir manchmal wie zwei Fremde, die noch keine Übung darin haben, miteinander zu reden. Was hast du heute erlebt?, fragt er dann, und ich sage, nicht viel, ich habe eine Freundin getroffen, die erzählte, dass sie auswandert, nach Urugay, hat sie gesagt, und ich habe gemerkt, dass ich nicht weiß, wo das liegt. Oder: Ich bin einem Mann begegnet, der mich einmal geliebt hat. Jetzt, sage ich, erinnert er sich kaum noch an mich, er hat mich angesehen, als versuchte er mich einzuordnen, wie eine Kartei-karte, auf die eine Hieroglyphe geschrieben steht. Gregor lacht und sagt: Nur wer vergesslich ist, überlebt. Er zeigt mir Bilder, die er während des Tages gemacht hat: der Himmel, Bäume wie Lanzen, ein schlammiger Pfad, ein Mädchen, das sich einen Schal um den Kopf wickelt. Oder das Relief über dem Kirchenportal: das jüngste Gericht. Oder noch einmal das Mädchen, eine Nahaufnahme, die schmalen Winkel ihrer gesprenkelten Augen, der Mund klein und dunkel wie ein Einschussloch. Wer ist das? Eine Freundin, sagt Gre-gor und gähnt. Wir essen Nudeln und Fleisch, wir schauen uns an und lachen und rucken mit den Köpfen wie Tauben, manchmal kann ich nicht ertragen, wie er kaut, wie er trinkt, wie er raucht. Das feine Geräusch seines Atems. Die falsche Betonung einzelner Wörter. Seine Mimik, der bewegliche Mund, die Schneidezähne, breit und weiß wie neue Bungalows, seine Angewohnheit, sich an-zuschleichen, plötzlich da zu stehen. Dann schließe ich die Augen zu Spalten und lasse seine Konturen verschwimmen.

In der Bar setzen wir uns nebeneinander, damit wir nach zwei Wochen einmal etwas anderes betrachten können als uns selbst. Die Wand hinter uns ist holzgetäfelt, wir bilden uns minu-tenlang ein, wir säßen in einer Berghütte und der Regen draußen sei dicker Schnee. Gregor sagt ein paar Worte in breitem Bayrisch, er kann das, er sagt, schaust, weißt, kummst, er nennt mich Madl, er will mich bussln, und ich rümpfe die Nase. Dann fallen wir aus dem Bergdorf raus und sind wieder im Norden und in der Stadt, und Gregor sagt, schau mal, wer da kommt. Jasper drängt sich durch die Menschenmenge. Er sieht uns nicht. Seine Haare sind feucht; sie glänzen wie schwarze Oliven. Hinter ihm läuft ein schönes Mädchen mit Glatze, er bleibt einen Meter vor der Theke stehen und wartet, bis sie ihn erreicht hat. Sie lacht, streicht ihm mit beiden Händen die Haare aus dem Gesicht, sie lässt ihre Hände an seinem Hinterkopf und zieht ihn zu sich heran, seine Haare fallen über ihren Kopf wie fremde Federn. Gregor fragt, hast du das gesehen?, und ich sage, ja, und dass ich müde sei, mir fallen die Augen zu, sage ich und gähne. Gregor sieht mich prüfend an. Vermisst du ihn etwa? Ich schüttele den Kopf, damit er endlich schweigt.

Vielleicht war das gar kein richtiger Kuss. Vielleicht war das ein Freundschaftskuss. Hallo, sagt Jasper, was machst du denn hier? Ich kam zufällig vorbei, sage ich und merke, wie meine Ohren unter der Wollmütze glühen. Jasper sieht mich ungläubig an und zieht geräuschvoll die Nase hoch. Er steht im Türrahmen und bittet mich nicht herein. Wann holst du deine Sachen?, fragt er. Weiß nicht, antworte ich. Muss das denn so schnell gehen? Toby bellt, und Jasper trägt ihn raus, der Hund legt sich auf den Rücken, ich streichele ihn, die weichen, schlaffen Ohren, den warmen Bauch, er gibt ein leises Jaulen von sich und leckt schuldbewusst meine Hand. Ist alles klar mit ihm? Jasper macht ein bedrücktes Gesicht. Geht so, irgendwas stimmt nicht. Er blickt besorgt auf den Hund. Muss ihn mal untersuchen lassen. Kriege ich keinen Kaffee?, frage ich, und Jasper sagt, ein andermal vielleicht, ich muss jetzt los. Er trägt Toby wieder rein und kommt kurz darauf mit einer Jacke über dem Arm raus. Wo musst du lang? Ich zucke mit den Schultern und sage, nach links? Gut, sagt er, dann gehe ich nach rechts. Er gibt mir die Hand, er fragt, wohnst du jetzt bei ihm?, und ich sage, du hast uns also doch gesehen. Jasper nickt, er presst die Lippen zusammen, er sieht aus, als habe er schlecht geträumt und nichts davon vergessen. Nur vorübergehend, sage ich, die Wohnung ist zu klein. Er nickt noch einmal, dann sagt er, alles Gute, und geht weg, an der Buchhandlung vorbei, die Paranoia heißt, am

Geschäft, in dem alles einen Euro kostet, am Metzger, bei dem wir Knochen für Toby geholt haben, am Bäcker, der im Sommer Pflaumenkuchen ins Schaufenster stellte, nach dem wir und die Bienen verrückt waren.

Gregor zeigt mir seine Bilder. Ein Mädchen mit flachem Bauch, das auf einem Stuhl sitzt, die Hand schützend zwischen den Beinen; eine Frau mit großen Brüsten, die nur eine schwarze Kette aus Jettperlen trägt und wie eine Blume auf dem Bett arrangiert ist; eine Japanerin, von oben fotografiert, nackt und mager; zwei Frauen, zur Acht verschlungen; die Rückenansicht eines Mannes. Bist du das?, frage ich, und er sagt lachend, nein, ich bin bloß der Fotograf. Aber, sagt er, und ich merke, dass er stolz ist, ich war mit einer der Frauen zusammen. Rate, welche. Ich sage, das Mädchen auf dem Stuhl, und er schüttelt lächelnd den Kopf, ich tippe noch zweimal daneben, und es ist die Frau mit den Jettperlen. In einer Vitrine in seinem Schlafzimmer liegt die Muschelsammlung, die sie ihm geschenkt hat, als sie ihn verließ, und ein winziges Stück der Berliner Mauer, grün, blau, gelb und betongrau. Von einem Straßenhändler, der mir Glück versprochen hat, Erfolg auf allen Ebenen, lacht Gregor, und kurz darauf erhielt er seinen ersten Auftrag und lernte die Frau mit den Jettperlen kennen.

Ich will nicht fotografiert werden. Warum nicht, wo liegt das Problem? Er folgt mir ins Bad, wo ich den Bademantel anziehe, ins Schlafzimmer, in die Küche. Also?, fragt er, und ich sage, es gibt kein Problem, und nehme die alte Zwiebel und die verschimmelten Tomaten aus dem Kühlschrank und lasse sie in den Mülleimer fallen. Seine Wohnung ist eine Manege, der Regen an den Scheiben ist der Trommelwirbel, wir sind in allen Zimmern aufgetreten, ich gehe zum Fenster und lasse die Rolläden runter, Gregor schaut mir verständnislos zu. In manchen Momenten sieht er hässlich aus, hässlich und klein, wie ein unschönes Kind. Er legt die Kamera auf den Tisch, dann eben nicht, sagt er wütend. Ich würde gerne wissen, was er über die Liebe denkt, ich frage, empfindest du manchmal Verachtung für mich?, und er verdreht die Augen und geht aus der Küche und schaltet den Fernseher an. Wusstest du, ruft er mir zu, dass man, wenn man einen lebenden Oktopus isst, Gefahr läuft, von innen erdrosselt zu werden? Ich sage, ich vermisse Toby. Den Hund?, fragt er, und ich sage, ja, den Hund.

Es dauert lange, bis Jasper ans Telefon geht. Er klingt atemlos, und als ich meinen Namen nenne, fragt er, was gibt's? Ich würde Toby gerne einmal sehen, sage ich. Jasper schweigt einen Moment, dann fragt er, warum? Er fehlt mir, sage ich. Irgendwo hier im Haus geht etwas klirrend zu Bruch; ich stelle mir vor, wie ein Einbrecher in eine der unteren Wohnungen einsteigt, wie er alles mitnimmt, was ihm wertvoll erscheint, wie er dann durch das Fenster wieder verschwindet oder durch die Tür. Die Frage ist, was er bei Gregor und mir stehlen würde. Ob es da etwas gäbe. Ob wir es wert wären, ausgeraubt zu werden. Jasper sagt, das passt schlecht. Vielleicht wartet das schöne Mädchen auf ihn, vielleicht blickt sie auf die Uhr, die ich an die Wand im Flur gehängt habe, damit die Gäste wissen, wann sie gehen müssen, und verschränkt geduldig die Hände im Schoß. Jasper holt tief Luft, sagt aber nichts. Er hat mich abgestreift wie eine Schlange ihre Haut. Ich wünschte, ich hätte einen Plan, wie ich weitermachen soll, ich wünschte, ich hätte wenigstens die Uhr. War's das? Jasper klingt, als habe er es eilig. Ja, sage ich, schon. Na dann, sagt er. Das kann doch passieren, sage ich schnell, dass man sich vertut, oder? Dass man einen Fehler macht. Ich merke, wie meine Stimme zittert, dann höre ich Jasper leise lachen, nicht böse, aber auch nicht gutmütig, er lacht wie jemand, dem alles egal ist, er sagt, tja, das kann es schon geben, dann räuspert er sich und fährt fort, es waren übrigens die Nieren, die ihm wehgetan haben, weißt du, wie das ist, wenn die Nieren versagen?, du musst dir das vorstellen wie eine Vergiftung von innen, aber eine langsame, am Ende versagt das Herz, es zerbricht richtiggehend, es wird zerfressen von all dem Gift, er zögert kurz, bevor er weiterspricht, und darum musste ich ihn nun doch einschläfern lassen, ich war dabei, stell dir vor, der Arzt und ich, sonst niemand, und ja, was soll ich sagen, es war noch schlimmer, als ich dachte, er redet leichthin, fast so, als amüsiere es ihn, er sagt, also, das war das, dann fügt er hinzu, ich muss los, und ich sage, okay.

Vor einigen Jahren habe ich mir ein Spiel ausgedacht. Das Spiel hieß: Wer liebt mehr. Es ging darum, sich an möglichst viele gemeinsame Erlebnisse aus der Vergangenheit zu erinnern. Wir haben das Spiel in letzter Zeit nicht mehr oft gespielt. Immer wenn ich es spielen wollte, sagte Jasper, lenk nicht ab. Vielleicht wird er irgendwann einmal, wenn er mich nicht mehr hasst, fragen: Erinnerst du dich noch an Ben Hur? Und ich werde dann Toby vor mir sehen, wie er auf uns zurennt, den rasselnden Rollwagen an den Rücken geschnallt, wie er einen Moment zögert, bevor er sich Jasper zuwendet und ihm den Stock vor die Füße legt, wie sein ganzer, schmaler Körper vor Anspannung und Freude bebt, und ich werde sagen: Ja.

Gewinner, Verlierer

Was möglich sein sollte: seine Meinung ändern, die Jacke wieder auszuziehen, sie auf den Stuhl vorm Schreibtisch werfen, zurückkommen zum Bett, das noch warm ist von den zwei Körpern, die darin lagen. Sie würde aus der Wanne steigen, sich ein Tuch um die Haare binden, ihn im Bett vorfinden, wenn sie aus dem Badezimmer käme. Sie würde nicht fragen, weshalb er seine Meinung geändert habe (nicht sagen: Du weißt nicht, was du willst). Sie würde das Tuch auf den Boden fallen lassen, sich mit nassen Haaren zu ihm ins Bett legen. Sie würde ihn küssen, ihn umarmen, als wolle sie ihn festhalten, und lachen, wenn er sagte, so muss sich ein Biber anfühlen, den man frisch aus dem Wasser gezogen hat.

Schräge Augen in einem nahezu runden Gesicht, darüber rötlich schimmerndes Haar, das die niedrige Stirn fast vollständig verbirgt, ein kleiner, mädchenhafter Mund. Aber was war es, was sie in ihm gesehen hatte, als sie ihn am anderen Ende des Zimmers entdeckte, wo er mit Anatoli stand, beide ein Glas in der Hand, Anatoli dazu eine Zigarre, die aufglomm, wenn er daran zog, wie sie heftig aufeinander einredeten, kaum die Antwort des anderen abwarteten (vielleicht hatten sie über Dichtung gesprochen, über den Bauernstand, seine natürliche Neigung zum Kommunismus)? Irma sagte später, als Sergej bereits tot, das wunderbare, schreckliche Jahr lange vorbei war: Du hast den Sohn gesucht, nicht den Mann. Was es auch war – sie hatte ihn zu sich gewinkt, und er hatte sich zu ihren Füßen auf den Boden gesetzt, wie jung er ist, hatte sie gedacht, als er sie erwartungsvoll und mit einem grausamen Zug um die Lippen ansah, die grellen Theaterkulissen im Hintergrund, die tanzenden Paare, sie hatte mit einer Hand in seine Locken gegriffen, sich zu ihm hinabgebeugt, ihn auf die Lippen geküsst, sie hatte Engel gesagt und Teufel.

Es war natürlich ein Zitat – die göttliche Isadora –, wer hätte gedacht, dass ich mit ihr heute Nacht spazieren gehen würde. Sie sagte mit ebenso leisem Spott, der Dichterfürst, und er, empfindlich wie er war und eitel, wollte wissen, was sie über ihn gehört hatte, ob sie seine Gedichte gelesen, sie verstanden habe. Das ist wichtig, sagte er und blieb mitten auf der Straße stehen, ein junger Mann, am äußersten Rand der verblassenden Nacht. Gelesen habe sie nichts – sie sah ihn schuldbewusst an –, doch gehört habe sie vieles. Dass er ruhelos sei, sagte sie, ganz Russland durchquert habe, vom Schwarzen Meer bis zur Murmanküste, den Kaukasus, die Krim, dass er die Freiheit liebe, ein zweiter Puschkin sei.

Der Eingang des Hotels war vergittert, sie mussten klingeln, und der bärtige Portier, dessen müden Augen sie ansehen konnten, dass er geschlafen hatte, öffnete die Tür für sie und ließ sie mit einem Nicken eintreten.

Wer ist das? Sergej nahm das Foto von ihrem Nachttisch. Dein Mann? Ja, sagte Isadora, aber er ist ein schlechter Mann, sie wiederholte in ihrem einfachen Russisch, ein schlechter Mann, aber ein Genie, doch da lachte er, nein, das Genie bin ich, und legte das Foto unter den Stapel alter Zeitungen. Der ist nichts, erklärte er. Möchtest du ein Glas Wein?, fragte sie. Er sagte, bring es her, er machte eine Handbewegung, die sie zum Bett dirigierte, und als sie mit dem Glas zu ihm trat, fasste er sie fest um die Hüften und zog sie zu sich herab, warte, sagte sie, das Glas fiel ihr aus der Hand, ein roter Fleck erschien auf dem Teppich, ein dunkler Kontinent im Hellblau; das ist Amerika, sagte sie am nächsten Morgen, und zeigte ihm ihren Heimatort nahe der Küste. Hier habe ich, erzählte sie, den Metzger angebettelt, den Kohlenhändler, sie alle habe ich um den Finger gewickelt, sie hielt den kleinen Finger der rechten

Hand hoch, vier war ich, fünf, sie lachte, jetzt bin ich reich. Ach ja, sagte er, wie reich? Seine Hand auf ihrem Bauch, sein Kopf auf ihrer Brust. Sie sagte: Sehr.

Sie ließen sich das Frühstück aufs Zimmer bringen, Isadora öffnete die Tür in einem kurzen, weiten Hemd, das ihre kräftigen Oberschenkel zeigte, und fütterte ihn mit kleinen Brotstücken, Sergej pickte danach, wozu taugst du bloß, du Luder, schimpfte er zärtlich und vergrub sein Gesicht an ihrem Hals. Er erzählte von seinen Schwestern – Katja (eine dumme Gans) und die schöne Schura (die für ihn schwärmte) –, er beschrieb einen Bauernhof bei Rjasan, die Schreie der Saatkrähen, den Geruch des Brennöls, mit dem seine Locken gebändigt wurden. Als ich dreieinhalb war, setzten meine Vettern mich auf ein ungesatteltes Pferd und ließen es galoppieren, ich weiß noch, dass ich mich angstschlotternd an den Widerrist klammerte, mit vier warf mein Onkel mich in den See, ich schluckte Wasser, später ersetzte ich ihm den Jagdhund und schwamm nach angeschossenen Enten. Sie hatte sein Gesicht in beide Hände genommen, sie küsste ihn auf Stirn, Wangen und Lippen, sie sagte, ich werde dich beschützen, und er lachte und schüttelte sie ab, ich bin ein Bauernsohn, einer, der sonntags die zwei Kopeken für die Kirche in die eigene Tasche steckt, vergiss das nie.

Ohrringe, Ketten, ein Diadem aus Diamanten, Perlen, für die irgendwer, dachte Isadora, irgendwo sein Leben riskiert hatte, sie sah schmale, dunkle Jungen vor sich, wie sie sich gewandt wie Aale immer tiefer ins Wasser schraubten, während sie die Schmuckstücke vor Sergej aufhäufte, er schnaubte abfällig: Sind bei euch alle so naiv? Bald würde er selbst wieder Geld haben, vierhundert Rubel für sechs Gedichte, dann würde er ihr neue Ohrringe kaufen, russische Diamanten, aus Bachkieseln geschliffen, sie zuckte mit den Schultern, das ist egal, weißt du, das bedeutet mir alles nichts mehr, er sagte, himmel mich nicht so an, und sie setzte sich aufrecht hin, schmerzlich berührt wie von einem elektrischen Schlag. Es ist doch, weil wir Zwillingsseelen sind, meine Liebe für dich ist Eigenliebe. Aber du wirst mir widerlich, sagte er, du bist wie gutes Essen, wenn man schon satt ist. Er trank und betrachtete unbeteiligt das leere Glas, sie schrie, dann geh!, und er ging und schrieb ihr: Meine Browning will mich töten, wenn du nicht bei mir bist.

Wie dich alle verachten, fuhr er sie an, als sie vor den anderen getanzt hatte, auch wenn du alt bist, ist das kein Grund, so hässlich zu sein, er stieß sie beiseite und fing selbst an zu tanzen, in der Mitte des Zimmers stand er, riss sich die Stiefel von den Füßen, schlug sich auf Beine und Arme, ein Stampfen, ein Treten, ein Springen, im Kreis drehte er sich, die blauen Augen aufgerissen, das Gesicht rot und aufgedunsen, ein tollwütiger Cherubim, seine Freunde klatschten, du Bauerntrampel, dachte sie.

Bevor sie abreisten, ließen sie sich trauen. Das ist von allen deinen Taten die dümmste, sagte Anatoli, und Sergej umarmte den Freund und sagte leise, Tolja, Tolja, das alles hast du mir eingebrockt. Isadora sah die beiden zusammenstehen, die Eifersucht bäumte sich auf, machte den Buckel wie eine wütende Katze. Sie lief zu ihnen hin und sagte, so fing es an, erinnert ihr euch?, und die Freunde erwiderten etwas, das sie nicht verstand, und lachten, als sie ihr verständnisloses Gesicht sahen. Natürlich, sagte Sergej gedehnt und maß sie mit kaltem Blick, so fing es an.

In Berlin tranken sie den ganzen Abend und rauchten dunkle, russische Zigaretten, die ihnen die Stimmen wie mit Raureif belegten. Meine Männer werden immer jünger, spottete Isadora und sah ihre Freunde herausfordernd an, den nächsten trage ich im Kinderkleidchen auf den Armen. Sergej, puppenhaft ausstaffiert, stolzierte der Gruppe voran, Maxim, der, kaum dass er ihn ansah, zu Tränen gerührt war, beschwor ihn: Sie ist all das, was du nicht brauchst. Es ist ein heulendes Elend, ich weiß, sagte Sergej und verfiel in eine Schwermut, die auch im Lunapark nicht verflog, die dem Bunten und Leuchtenden und Kreisenden, den Lichterketten und Schaukeln, der Musik, dem Karamellduft trotzte. Dann lieber seine Ausbrüche, dachte sie, das Toben, Brüllen, Schlagen, und wie er alles, was sich ihm in den Weg stellte, zerstörte, wie er mit ihr rang, wie er dem fremden Mann einen Bierkrug über den Kopf zog (und wenn er stirbt? – er spie wütend aus: ein Schweinehund weniger). Sie lachte über die Flecken an ihrem Hals, in ihrem Gesicht, sie umarmte Irma und schob sie beiseite, das ist nichts, das ist gar nichts; weißt du denn nicht, dass es immer Gewinner gibt und Verlierer?

Red, red, red, wiederholte Sergej, als sei das sein einziges englisches Wort. Der Taxifahrer, ein Russe wie er, doch schon seit Jahren in New York, drehte sich zu ihm um: Ob er an Gott glaube? Manchmal, sagte Sergej nach einigem Nachdenken und weigerte sich zu schwören, beim Leben Jesu, er lachte, das tue ich nicht, lang lebe der Bolschewismus. Nachts ließ er sich durch die Straßen treiben, ein Turner aus tausend Lämpchen schlug Purzelbäume im achtundzwanzigsten Stock, ein elektrischer Mister stieß Rauch aus, der in kreisrunde Ringe überging, über ein ganzes Stockwerk liefen die Buchstaben der Abendzeitung, er legte den Kopf in den Nacken und las. Wenn er trank, wurde er böse, ein Taifun, der die Party des Freundes zerstörte, die Gäste beschimpfte, der seine Frau auslachte, an ihren Kleidern riss, sie zu Boden warf, sie trat. Sie hielten ihn zurück – schüttet ihm Wasser über den Kopf, fesselt ihn mit der Wäscheleine! –, er spuckte dem Gastgeber ins Gesicht und schrie: Verfluchte Juden! Bin ich krank, oder entlaubt mir der Schnaps das Hirn wie den Nussbaum der Schnee? Ruhig, sie wiegte ihn in ihren Armen, ganz ruhig, die Morgensonne legte einen Dunst zwischen die glänzenden Fassaden, sie dachte an ihren Sohn, wie er auf dem Grund der Seine lag, an die Kinderfrau gelehnt, überrascht vom unbarmherzig kalten Wasser. New York ist ein Moloch; wohin man schaut Spießer, schrieb Sergej an Anatoli, sogar die Vögel kacken nur dahin, wo es ihnen erlaubt ist, keine Kralle wird über die unsichtbare Grenze gestreckt.

Dass er offensichtlich nicht hierher passe, sagte er. Nicht zu ihr, nicht zu ihrem Land. Dass er sie aber nicht verlassen könne. Wie soll ich schreiben, wenn du nicht bei mir bist? Sie bestiegen gemeinsam das Schiff, Isadora sah noch einmal zurück, ich komme nie wieder her, sagte sie den Reportern und schlang sich den Schal um den Hals; ich bin rot wie mein Schal, hatte sie an einem dieser Abende gerufen, rot ist die Farbe des Lebens, der Kraft! Sergej hatte von der Loge herab die Fahne geschwenkt und die Internationale gesungen, während sie stampfte und über die Bühne wirbelte und der Bürgermeister der Stadt den Saal verließ und alle weiteren Auftritte untersagte.

Venedig ist tot, schimpfte Sergej, als sie vor dem Dogenpalast standen, die Menschen hier sind nichts als Leichenwürmer, das Leben ein Friedhofsleben. Einer alleinreisenden Russin erzählte er von seiner Kindheit: Ich war der Anführer der Dorfjugend und immerzu voller Schrammen, wenn Märchen böse ausgingen, gefiel mir das nicht: ich schrieb sie neu, so begann ich zu dichten. Er betrachtete die Russin nachdenklich, er sagte, ich bin berühmt, wissen Sie, er zeigte auf seine Frau, die mit einem Porträtmaler verhandelte, sie will mich zu ihrem Sklaven machen, verfolgt mich durch die halbe Welt, Sie aber sind schön, er legte ihr eine Hand auf den Arm, nein, wehrte die Russin ab, Ihre Frau. Meine Frau?, er lachte, das ist meine Mutter. Eine Hand an ihrem Hals, presste er seine Lippen auf ihre, die Russin ließ ihn gewähren. Das Huhn ist kein Vogel, das Weib ist kein Mensch, dachte er.

Ein Spiel: Wir sind zwei Fremde, bestimmte er, als sie das Café am Place de la Concorde betraten, wir kennen uns nicht. Isadora beobachtete ihn aus der Distanz: Wie er sich gegen die Theke lehnte, die Blicke schweifen ließ, wie er trank, bis das Zittern aufhörte, wie er die Frauen taxierte, die Beine einer Blonden, ihre

Brüste, und zu überlegen schien, ob sie sich von ihm ficken ließe, hier, jetzt gleich. Es ist ein Spiel, sagte sich Isadora und setzte sich aufrecht hin, beide Hände auf den Tisch, Sergej verfolgte das Geschehen im Spiegel, der Kellner, der ihr zulächelte (sie senkte die Augen, nur um sie sofort wieder zu heben, seinen fragenden Blick zu beantworten), er schenkte ihr den Wein ein, umständlicher als nötig, sie berührte seine Hand. Sergej musste beinahe lachen, einen Moment lang hatte er Lust, sie zu töten. Dass du mich nie verlässt, hörst du, sagte er, als sie wieder im Hotel waren, er kniete sich vor sie hin, legte seinen Kopf auf ihre Beine, er sagte, du darfst nur mich lieben, und: Ich möchte dich würgen, dir weh tun. Dann küsste er sie.

Zwei Wochen vergingen, in denen sich nichts änderte, nur dass Isadora jetzt nicht mehr lachte, wenn er sie anschrie, wenn er vom Essen aufstand, um unbeobachtet zu trinken, wenn er wiederkam und die anderen beleidigte – die alte Schauspielerin, die er anfangs verehrt hatte, ob sie glaube, dass sie Kunst betreibe, ob sie glaube, dass auch nur einer sie liebe, ich aber, schrie er, werde geliebt; den Dichter, der ihnen immer wieder Geld gab; den Arzt, der ihn warnte: Sie werden keine Zeile mehr schreiben können. Sergej lachte: Als ob sie mir auch nur eine Minute Zeit dafür ließe! Du weißt, dass du ihn verlassen musst, hatte Mary, die aus London angereist war, um ihre Freundin zu unterstützen, bereits am ersten Abend gesagt, er ist nichts weiter als ein übergeschnappter, talentierter Pechvogel. Meinst du, ich weiß das nicht schon lange?, entgegnete Isadora. Dann sei klug, sagte Mary und schüttelte die Silberreifen den Arm hinab.

Das letzte gemeinsame Zimmer: gestreifte Seidentapeten, ein Sekretär aus dunklem Holz, ein verspiegelter Schrank, das King-Size-Bett mit den geschnitzten Pfosten, auf dem Tisch der Glaskrug, daneben seine Mütze aus Persianer. Hätte ich gewusst, dass das unser letzter Abend war, ich hätte nachgegeben, würde sie später sagen, ich hätte die Geister für ihn vertrieben (die grauen

Riesenvögel, weißen Mäuse, Katja, die dumme Gans, der er die Schuhe zerstört hatte, aus Wut). Um mich herum nichts als Neider und Dummköpfe, schrie er, sprang auf und schlug mit den Händen um sich, dann packte er ihre Haare, zog sie aus dem Bett, wie ich dich verachte!, der Krug zersprang auf dem Boden, er trat mit bloßen Füßen in die Scherben, dass es knirschte und seine Füße rote Flecken auf dem Teppich hinterließen, alles faul, sagte er, alles zerstört, er nahm eine der Scherben, schau gut zu, er ritzte sich in den Arm, sie sagte, geh endlich, geh, und schloss die Badezimmertür hinter sich, und er lehnte sich an die Tür und sagte: Mich siehst du nie wieder.

Sterben ist nicht neu in diesem Leben, doch auch Leben ist nicht gerade neu, wird er zwei Jahre später schreiben, und sie sagt, den Blick vom Brief hebend, der sie in Nizza erreicht: Ich habe schon zu viel um ihn geweint, da ist nichts mehr. Sie wirft den chinesischen Schal über die Schulter und besteigt das Auto, ein junger Mann hinter dem Steuer, den sie wie seinen Wagen nennt (Bugatti eins und zwei); vielleicht, denkt sie, eine neue Liebe, ein letztes Glück. Sie winkt ihrem Bruder zu und Mary, die neben dem Wagen stehen, ihr fahrt vorsichtig, nicht wahr?, sie sagt, adieu, mes amis, je vais à la gloire. Und der Wagen fährt an und zieht den Schal wie die lange Flosse eines Zierfisches hinter sich her.

Entscheidungen

Rike fragt, wen würdest du lieber küssen?, sie beißt sich von innen auf die Wange, dann sagt sie, jetzt ist die Stunde der Wahrheit gekommen, und Gabriel sieht fragend von ihr zu mir, mit Augen, die braun und glänzend sind wie Hustenbonbons. Nein, sage ich und nehme die leere Flasche in die Hand, nein, wiederhole ich, dann stehe ich auf und stelle die Flasche auf den Tisch. Ich muss los. Rike bringt mich zur Tür, sie trägt nichts als ein quergestreiftes T-Shirt, das ihr bis an die Knie reicht und sie dick macht. Sie legt die Hand auf die Klinke, öffnet die Tür aber noch nicht. So schlimm?, fragt sie, und ich sage, lass mich mal gehen, ja?

Ich habe es satt, dass andere bestimmen, wie ich leben soll. Ich sitze mit Gabriel im Café, das Kind hat er zur Babysitterin gebracht, zum Glück hat sie Zeit, sagt er, dann winkt er der Kellnerin, bestellt ein zweites Glas Cola und sieht mich missmutig an. Wer tut das denn?, fragt er, und ich sage: Alle. Gabriel trinkt das Glas aus, ohne abzusetzen; ich beneide ihn um seinen Durst. Er stützt die Ellbogen auf und legt die Hände wie Tulpenblätter ums Gesicht, er sagt, du kümmerst dich zu viel, und als ich frage, worum, sagt er: Um dich, um mich, um Rike. In einer Stunde muss er das Kind abholen, es ist hellbraun, es ist das schönste Kind der Welt, es hat zwei Grübchen über den Augenbrauen und perfekte Finger und Zehen. Auf Umwegen gehen wir zur Babysitterin, in der Fußgängerzone kniet ein Mann, den Kopf auf dem Boden, eine Hand zur Schale geformt. Die Luft riecht nach Regen. Gabriel sagt, jetzt ist der Sommer bald vorbei, und ich frage, langweile ich dich? Nein, sagt er, das ist es nicht. Als wir zu dem Haus kommen, in dem die Babysitterin wohnt, wartet sie schon vor der Tür. Das Kind liegt in seinem Wagen und schläft. Gut, dass ihr pünktlich seid, sagt die Babysitterin. Ihr Mund hat die Farbe von Pflaumen, Gabriel zählt ihr das Geld in die Hand. Wir schieben abwechselnd den Wagen. Das Baby verzieht den Mund im Schlaf, die kleinen Fäuste liegen neben dem Kopf; es sieht aus, als ergebe es sich. Als ich Gabriel darauf hinweise, winkt er ab. Hör bloß auf, mach mir nicht noch mehr Angst, als ich eh schon habe. Während wir zum Bahnhof gehen, wird es allmählich dunkel, die Farben ziehen sich zurück. Gabriel bläst den Rauch seiner Zigarette zur Seite, die dünne Fahne flattert sekundenlang um unsere Köpfe. Bevor er in den Bus einsteigt, sagt er, vielleicht sehen wir uns besser nicht mehr so oft, und ich werde wütend, weil er das jedes Mal vorschlägt. Ihr dürft doch mehrere Frauen haben, sage ich, ist doch so, oder? Nein, entgegnet Gabriel, und ich kann hören, dass er ungeduldig ist, das war einmal.

Ich bin Gabriel in einem Kurs der Volkshochschule begegnet, wir wollten Dänisch lernen und beide hatten wir keinen Grund dafür. Gabriel sagte, jeg hedder Gabriel, und ich sagte, jeg bor i kirkegade, obwohl das nicht stimmt. Es war Sommer und auch abends noch so warm, dass wir uns nach dem Unterricht in den winzigen Biergarten setzen und Wein trinken konnten, während die Katzen zwischen den Tischen umherstrichen. Gabriel erzählte von seiner Familie, dem deutschen Vater, der karibischen Mutter, den zwei Brüdern, er erzählte von der Kirche, der sie angehörten, den Mormonen und ihren Ritualen. Prophezeiungen, Handauflegen, Zungenreden, bei uns kannst du alles haben, er lachte und stieß mit einem Fuß gegen meinen Stuhl. Und nichts davon taugt etwas, erklärte er, es ist der reine Bockmist. Eine getigerte Katze saß auf der Mauer, die den Garten umgab, und ließ von Zeit zu Zeit einen Schrei hören. Wenn die noch einmal schreit, gehst du morgen mit mir essen, sagte Gabriel. Ich drückte meinen Zeigefinger so fest gegen den Verschluss meines Armbandes, dass es schmerzte, ich nickte, und die Katze stieß einen langgezogenen klagenden Laut aus und blickte ins Nichts. Es könnte sein, dass wir uns aus einem früheren Leben kennen, sagte Gabriel zwei Wochen später. Ich zögerte, bevor ich erwiderte, dass ich daran nicht glaube. Woran, fragte er, an die Reinkarnation oder einfach an dich und mich? An dem Abend, als ich ihn Rike vorstellte, waren wir erst im Kino gewesen, wir hatten uns geküsst und dann hatten wir uns gestritten. Rike saß im Café und sah schön aus, sie hatte die hellen Haare zu Locken gedreht, sie lachte viel, und Gabriel streichelte unter dem Tisch mein Bein. Ich ging früh nach Hause. Als ich ihn später anrief, war sein Handy ausgeschaltet. Ich hinterließ drei Nachrichten, ich lag auf dem Boden im Flur, ich weinte und musste gleichzeitig lachen, ich wusste, wo er war. Lass uns nicht darüber sprechen, bat er am nächsten Morgen. Es wäre entwürdigend, wenn ich versuchte, mein Verhalten zu erklären, schrieb er mir zwei Tage später. Rike sagte: Es tut mir so leid. Wenn sie weint, bekommt sie rot gefleckte Wangen wie bei einem Hautausschlag. Ich reagiere allergisch auf Tränen, hat sie früher immer behauptet. Ich fragte, wie das geschehen konnte, und Rike sagte: Es tut mir leid, aber ich bereue es nicht.

Am dritten Mai wurde das Baby geboren. Meine Mutter hob es vorsichtig hoch und sagte, ein kleiner Stier, mein Vater legte einen Finger an die Schläfe des Babys und sagte, hier pocht es, er machte, bumm, bumm, bumm. Jetzt bist du Tante, sagte Rike, und ich nickte und roch am Kopf des Babys, das die Augen gegen das Licht zusammenpresste.

Das Wasser im See ist kalt. Gabriel krault schnell und regelmäßig, dann wartet er auf mich, indem er auf der Stelle tritt. Rike ist mit dem Baby am Ufer geblieben, sie hat sich ein Handtuch um die Hüften gewickelt und steht mit den Füßen im Wasser. Sie winkt uns zu, sobald wir uns umdrehen. In Gabriels Haar glitzern die Wassertropfen, seine nasse Haut glänzt wie lackiertes Kirschholz, er ist schön. Mach schon, ruft er, wenn ich zu langsam bin. Wir schwimmen an den Rand des Sees, hier stehen Bambusgräser, die Luft zwischen den Gräsern sirrt von Insekten, der Boden ist weich unter den Füßen. Wenn ich meinen Kopf an Gabriels Brust lege, höre ich sein Herz schlagen, er nimmt mich in den Schwitzkasten und küsst mich, er sagt, wir müssen zurück.

Rike liest in einer Zeitschrift, sie sieht nicht auf, als wir kommen. Das Baby schläft, sie stöhnt: Er hat die ganze Zeit geschrien, er mag meine Milch nicht. Ich kann sehen, dass sie geweint hat. Sie starrt auf die Zeitschrift in ihrem Schoß, und Gabriel zieht ungeduldig die Augenbrauen in die Stirn und wischt sich das Wasser von der Haut, bevor er sich auf sein Handtuch setzt. Vom nahen Ruderclub her sind Stimmen zu hören. Unseren gefallenen Helden, steht auf einer Stele neben dem Eingang des Clubs, darunter siebzehn Namen, die kaum noch zu entziffern sind. Glaubst du an Helden?, hatte Rike gefragt, als wir im letzten Sommer die Stele entdeckten, und ich hatte gesagt, nein, und überhaupt: Was soll das sein, ein Held? Ein leichter Wind geht, der Sand ist überall, zwischen den Zehen, in den Haaren, im Mund. Rike sagt leise, kennst du das – man liest und liest und nimmt gar nichts davon auf? Sie legt die Zeitschrift weg und blinzelt müde in den Himmel. Ja, sage ich, kenn ich. Gabriel hat sich auf den Bauch gelegt und die Augen geschlossen. Rike sieht ihn so neugierig an, als sei er vor unseren Füßen gestrandet, als habe der See ihn ausgespuckt, ein Fremder, von dem sie noch nichts weiß.

Vom Wohnzimmerfenster aus kann ich die Straße überblicken. Gegenüber steht ein halb verfallenes Fabrikgebäude aus rotem Klinker. Dreimal in der Woche probt dort eine Theatergruppe, jeden Abend findet im großen Saal ein Yogakurs statt. Wenn die Menschen in ihren Verrenkungen verharren, sehen sie aus wie fremdartige Schriftzeichen. Gabriel sagt, lehn dich nicht so weit aus dem Fenster, und ich sage, du liebst mich also doch. Als Rike nach

Hause kommt, bittet sie mich zu bleiben. Sie hat Angst vor Gabriels Familie, sie sagt: Steh mir bei.

Gabriels Mutter hält das Baby im Arm, sie küsst es auf den Kopf, sie sagt, er ist so süß, wann tauft ihr ihn? Gabriel nimmt ihr das Baby ab und legt es in den Wagen. Es beginnt sofort, mit den Holzfiguren über seinem Kopf zu spielen. Das Geräusch kleiner Glocken ertönt. Gabriel sagt, wir lassen ihn nicht taufen, er räuspert sich, dann sagt er: Und bevor du wieder fragst – wir heiraten auch nicht. Seine Mutter hat sich auf dem Sessel zurückgelehnt, sie legt die Hände ineinander und beult die Wange mit der Zunge aus, dann zieht sie die Unterlippe zwischen die Zähne und betrachtet ihren Sohn. Sie sieht belustigt aus. Ihre Haare sind halblang und glatt, eine silberne Spange über dem rechten Ohr hält eine einzige Strähne fest. Ich habe, sagt sie schließlich, eine gute und eine schlechte Nachricht. Sie sieht Rike an, welche zuerst?, und Rike sagt: Die gute. Tja, sagt Gabriels Mutter und schlägt zufrieden die Beine übereinander, die gute ist: Es gibt die Möglichkeit zur Umkehr. Sie lächelt, sie sagt: Es ist noch nicht zu spät. Sie sieht ihren Sohn Nathanael an, der mit seiner Frau und den drei Kindern rechts von ihr sitzt. Ist das nicht eine gute Nachricht?, sagt sie, und Nathanael nickt: Mehr als das. Und was ist die schlechte?, fragt Nathanaels Frau mit weit geöffneten Augen. Sie wirken wie eine Gruppe von Laienschauspielern, die zum wiederholten Mal ein Stück aufführen, das sie immer noch begeistert. Die schlechte Nachricht, sagt Gabriels Mutter, ist, dass jeder Mensch für seine Sünden bezahlen muss, für seine eigenen, verstehst du, vergiss die Erbsünde. Sie sieht Gabriel an und der Ausdruck der Belustigung ist aus ihrem Gesicht gewichen. Die Erneuerung der Welt hat schon begonnen, es bleibt nicht mehr viel Zeit. Gabriel sieht zur Decke und tut, als habe er nichts gehört. Nathanael schüttelt betrübt den Kopf und sagt in versöhnlichem Ton: Bring Rike doch einmal mit, vielleicht gefällt's ihr bei uns. Er sieht von Gabriel zu Rike, er sagt: Du warst doch sicher schon mal in der Kirche, oder? Ja, sagt sie, natürlich. Und, fragt Nathanael mit ironisch erhobener Stimme, war das nun so eine Tortur, ein Opfer, eine Zumutung? Nein. Sie schüttelt den Kopf und presst die Lippen zu einem gequälten Lächeln zusammen. Nein, wiederholt sie, natürlich nicht. Na also, ruft Nathanael und strahlt Gabriel an, du hast es gehört, und bei uns ist es wie in der Kirche, nur lustiger, er fährt seinem jüngsten Sohn über den Kopf und sagt, oder was meinst du?, und der Junge nickt.

Er hasst die Kirche, sagt Rike am Telefon. Mir wär's ja allmählich egal, Hauptsache, diese Besuche hören auf. Ihre Stimme ist zittrig, sie klingt, als sei sie gerannt und jetzt außer Atem. Sie sagt, ich bin müde, rufst du mich morgen an?, dann legen wir auf. Seit einigen Wochen kann sie kaum noch schlafen. Sie liegt nachts wach und lauscht auf das Pochen in ihren Ohren.

Ich bin froh, dass ich nicht an ihrer Stelle bin, sage ich zu Gabriel. Er richtet sich halb auf, tastet nach den Zigaretten auf dem Boden, dann zündet er zwei an, eine gibt er mir. Er schüttelt den Kopf, sei nicht dumm, seine Stimme ist zu laut für diesen Raum, er sagt, wenn du an ihrer Stelle wärst, wäre alles anders. Ja, sage ich, schon möglich. Wir liegen auf dem Rücken und stoßen gleichzeitig den Rauch aus, so dass eine einzige Rauchsäule entsteht. Das Zimmer ist klein wie eine Kajüte, über dem Fenster ist die Decke abgesenkt, mit geschlossenen Augen spürt man manchmal ein Schlingern wie von Wellen. Das Haus ist alt und vielleicht stürzt es bald in sich zusammen. Ich frage, was ist das alles nun – Schicksal oder Zufall?, und Gabriel überlegt kurz, dann sagt er: Sowohl als auch. Was soll das heißen? Er kratzt sich an der Brust, drückt die Zigarette im Aschenbecher aus und sagt: Das soll heißen, dass das Schicksal aus einer endlosen Reihe von Zufällen besteht. Jeder Zufall wiederum ist nichts anderes als das unkalkulierbare Zusammentreffen verschiedener Entscheidungen. Deine Entscheidungen, meine, die von Millionen anderer Menschen. Und die Summe all dieser Entscheidungen – das ist dann Schicksal. Er grinst, er zieht mich zu sich heran und küsst mich auf den Mund, er sagt, also alles keine Zauberei, aber ich mache mich los und sage, tolle Entscheidung.

Wir laufen von Stand zu Stand, wir essen Wurst, Pommes frites, Eis, wir kaufen eine Kette, ein Buch und einen antiken Schuhlöffel, und Rike probiert Hüte auf. Sie setzt sich einen schwarzen mit kurzem Netzschleier auf, einen roten mit einer Feder, einen grünen mit einem Gamsbart. Sie dreht sich vor dem Spiegel, sie sieht schön aus, sie fragt, welcher steht mir am besten?, und kauft am Ende den schwarzen. Falls ich mal zu einer Beerdigung muss, erklärt sie im Weitergehen. Die Angst überkommt sie auf einer Bank im Park, es beginnt ganz langsam, erst hüpft nur ihr rechtes Bein ein wenig auf und ab, dann zittern ihre Hände, sie lässt die Wasserflasche fallen und sieht mich erschrocken an. Was ist denn das?, fragt sie, dann weint sie. Komm, sage ich, fahren wir nach Hause. Im Auto stemmt sie beide Hände gegen das Handschuhfach, ich kann sie hecheln hören, ihr Weinen klingt panisch, ich fahre rechts ran und ziehe sie aus dem Wagen, ich halte sie von hinten umklammert, sie zittert und atmet schnell wie ein ängstliches Tier, die Autofahrer sehen uns an, ich sage, ruhig, Rike, hörst du, alles wird gut. Irgendwann ebbt das Weinen ab und ihr Atem beruhigt sich. Sie sagt, bring mich ins Krankenhaus, nicht zu Gabriel. Sie weint immer noch, verhalten jetzt, sie sagt, ich kann nicht aufhören, tut mir leid, sie lacht und wischt sich über das Gesicht. Ich habe Angst, verrückt zu werden, sagt sie leise.

Rike liegt im Schlafzimmer, sie hat zwei Tabletten genommen, dann ist sie über dem Buch eingeschlafen, sie hat gelächelt dabei. Ich habe das Licht gelöscht und ihr das Buch aus der Hand genommen: Tipps für die Wildnis. Komm, sagt Gabriel und zieht mich zu sich auf das Sofa, du hast mir gefehlt. Er küsst mich, er schiebt mein T-Shirt hoch und streichelt mich, das Kind liegt in seiner Wiege, im Fernseher läuft die Tagesschau. Erschöpfungsdepression, hat der Arzt diagnostiziert. Vielleicht hat Rike ihm alles erzählt. Gabriel sagt, sie wird nichts mitbekommen, sie schläft doch. Er sagt: Endlich. Mit einer Hand öffnet er die Knöpfe meiner Jeans, er küsst mich hektisch, dann zieht er sich das Hemd über den Kopf. Ich sage, nein, ich helfe ihm, die Hose auszuziehen, ich sage, das ist gemein, ich beobachte meine Hände, ich würde mich gerne wehren.

Hast du keine eigene Wohnung, sagt Rike, als sie mich am nächsten Morgen weckt. Ich habe auf dem Sofa übernachtet, mein Rücken tut weh, der Nacken ist verspannt. Rike sagt, ich glaube, es ist besser, wenn du mal gehst. Das Kind liegt an ihrer Schulter, es bewegt die dicken Ärmchen und versucht nach Rikes Haaren zu greifen. Wenn es eine Strähne erwischt, löst Rike vorsichtig die kleinen Finger, sie sagt, nein, nein, nein, und lacht. Vor dem Haus stehen zwei Stühle, ein Regal mit zerbrochenen Fächern, ein chinesischer Lampenschirm aus Papier, ein Drahtgestell für Zeitungen, eine kleine Kommode mit Marmorplatte, ein altes Fahrrad, von dem die Farbe abblättert. Als wir Kinder waren, wussten wir schon Tage im Voraus, wann Sperrmüll ist, und liefen, auf der Suche nach Schätzen, durch die Straßen. Was machen wir bloß, sagt Rike am Telefon, sie schnaubt leise, er braucht dich, und ich brauche dich auch, aber so geht es nicht weiter. Ich weiß, sage ich.

Rike tanzt direkt vor den Boxen. Sie hat die Augen geschlossen und singt lautlos mit, sie legt den Kopf in den Nacken und schlenkert mit den Armen, sie stößt gegen einen der Jugendlichen, der sie verächtlich mustert und mit seinen Freunden über sie lacht. Gabriel trinkt Bier und sieht den Vorbeigehenden ins Gesicht. Ich gehe über die Tanzfläche zu Rike und lege beide Arme um sie. Sie zuckt zusammen, dann öffnet sie die Augen und lächelt müde. Ihr

Gesicht ist weicher geworden von den Medikamenten, wir ähneln uns kaum noch. Ich küsse sie auf die Schläfe, ich sage, lass uns gehen. Die Jugendlichen grinsen spöttisch, als wir an ihnen vorbeikommen. Rike sagt, ich will noch bleiben, aber sie wehrt sich nicht, als ich sie mit mir ziehe. In der U-Bahn lässt sie ihren Kopf gegen Gabriels Schulter sinken, sie schließt die Augen, und Gabriel und ich schauen uns in der Fensterscheibe an.

Was ist das mit uns?, frage ich ihn in der Nacht, und er sagt, was soll das sein, ich liebe dich. – Woher weißt du das? – Das spüre ich, das ist ein Gefühl. – Also weißt du es nicht, sondern glaubst es nur. Er antwortet nicht. Und Rike? Ja, Rike, sagt er und hält beide Hände vor den Mund, als wolle er sie wärmen. Die, sagt er dann, liebe ich auch. Er sieht mich warnend an. Verlang nicht, dass ich mich entscheide, sagt er.

Der Körper ist ein Tempel, steht in dem Brief, ihr müsst ihn rein halten von Alkohol, Nikotin und Medikamenten. Wenn ihr ihn beschmutzt, begeht ihr eine Todsünde. Hast du ihr etwa davon erzählt?, fragt Rike, und Gabriel sagt, Nathanael wollte wissen, wie es dir geht, da habe ich es erwähnt. Er zuckt mit den Achseln und sieht an Rike vorbei. Schmeiß den Brief weg, sagt er, die spinnen, er lacht böse auf, meine ganze Familie spinnt, vergiss das nie. Rike sagt, halte sie von mir fern, hast du verstanden, ich will sie hier nicht mehr sehen. Das Baby schreit, und Rike sieht mich bittend an. Kannst du ihn füttern? Ja, sage ich, klar. Das Baby saugt an der Flasche, die Stirn gefurcht, winzige Schweißtropfen an der Schläfe. Ich sage, langsam, langsam, aber es saugt wütend und konzentriert weiter, bis die Flasche leer ist. Im Wohnzimmer streiten Rike und Gabriel. Ich lege das Baby in den Wagen und gehe mit ihm raus, ich laufe durch die Straßen und betrachte die Auslagen, das Baby schläft und wendet von Zeit zu Zeit den Kopf, ich gehe immer weiter, bis es dunkel wird, die Stadt kommt mir fremd vor und schön, dann wacht das Baby auf und schreit, und ich hieve den Wagen in die Straßenbahn und fahre zurück. Rike ist allein, sie liegt auf dem Sofa, ihre Haare sind unordentlich, die Augen rot, sie sagt, habe ich jetzt genug Buße getan, ist es jetzt mal gut?, sie ist betrunken, sie sagt, einer von uns muss gehen: du oder Gabriel oder ich. Ich setze mich zu ihr und streichle ihren Rücken, ihr Pullover kratzt an meinen Händen, sie legt ihren Kopf in meinen Schoß und murmelt, ich fange schon an, dich zu hassen.

Wir stehen vor der Passkontrolle, Rike hat Schokolade gekauft, die sie in meiner Handtasche verstaut, ein unaussprechlicher Name wird dreimal ausgerufen, jedes Mal mit einem Stottern, wir sehen uns an und lachen. Gabriel fragt, warum noch mal Venedig?, er sieht traurig aus, und ich sage theatralisch, passt doch, das ist der Ort der Sehnsucht. Rike sagt, jetzt hör aber auf.

Venedig im Herbst, schreibe ich, ist pathetisch: Man muss Angst haben, dass sich Ratten und Menschen von den Brücken ins Wasser stürzen. Mir geht es gut, ich kellnere in einem Lokal, in das sich kein Italiener je verirrt. Der Besitzer ist so alt, dass man ihm die Lüge glaubt, sein Großvater sei der Arzt gewesen, mit dem George Sand durchbrannte. Im Winter schreibe ich: Es ist scheißkalt. Ich denke an euch wie an eine Medizin, einmal morgens, einmal mittags, einmal abends. Im Frühling schreibe ich: Ich möchte zurückkommen. Und Rike schreibt: Wir warten auf dich.

Die Sonnenstrahlen treffen senkrecht auf den See, Rike fragt, wer kommt mit ins Wasser?, und Gabriel steht auf und folgt ihr ans Ufer. Ich passe auf das Baby auf. Es krabbelt herum, es steckt sich Sand in den Mund und Blätter und manchmal ein Stück Banane, das ich ihm gebe. Gabriel und Rike zerwühlen die silberne Oberfläche des Sees. Rike dreht sich um, es ist toll!, schreit sie, dann wirft sie sich nach vorne ins Wasser, beginnt zu kraulen, und Gabriel zögert noch einen Moment, dann schwimmt auch er los. Von weitem könnte man ihre Köpfe für Haifischflossen halten und den

See für ein Meer. Das Baby sagt Papa, es sagt Mama und seinen Namen, nicht mehr lange, hat Rike mir versichert, und es wird auch deinen Namen sagen. Ich hebe es hoch in die Luft und drehe es im Kreis, ich rufe, wir fliegen, wir fliegen, und das Baby lacht glucksend und lässt den Sand aus seinen Fäusten rieseln.

Freunde

Er kann nur einige Meter weit sehen, den schwarzen Waldweg, die Stämme der Bäume, die gelbbraunen Blätter, dahinter verschwindet alles im Nebel, der dick ist, wie Milchsuppe, denkt Gunther, und hatte seine Mutter nicht immer genau das zu ihm gesagt,
wenn er morgens aufgewacht und ungläubig zum Fenster gerannt
war, überall der dichte Nebel und er selbst mittendrin: Milchsuppe
haben wir heute. Bleibt er stehen, hört er ein fernes Prasseln in den
Baumkronen, aber es regnet nicht, nur die Luft ist übervoll vom
Dunst.

Auch ohne etwas zu sehen, kennt er den Weg, weiß, wann
der Pfad sich verzweigen, wann er bergauf führen, wann er sich unter seinen Füßen weich anfühlen wird, dann nämlich, wenn er die
Senke erreicht, die der Regen spätestens ab Anfang Oktober auf-
weicht und die auch von einigen Tagen spiegelnder Sonne nicht getrocknet werden kann. Unzählige Male hat er als Kind in diesem
Wald gespielt, hat sich, wie er sich jetzt erinnert, hinter den Bäumen versteckt und lange nicht finden lassen von seinen Freunden,
denen er einen Schreck einjagte, indem er sie hinterrücks überfiel,
während sie ihn in einem Gebüsch oder hinter einem Felsstein ver-
muteten und sich leise anschlichen. Hier hat er auch zum ersten
Mal ein Mädchen geküsst, auf die Holzbank im Hochsitz musste
sie sich setzen, und dann kniete er sich vor sie hin und unterbrach
ihr Gerede über Schule, Ferien und Lieblingsfreundinnen, indem er
sie zu sich hinzog und seine Lippen auf ihre drückte. Weil er stärker war als sie, behielt er im anschließenden Gerangel die Ober-
hand und schaffte es, ihren Kopf über die Holzbrüstung des Aus-
gucks hängen zu lassen. Sieh nur, wie tief, sagte er, sieh nur, dann

schob er sie, beide Hände in ihrem Nacken, noch ein Stück weiter über die Brüstung, so dass sie keuchte und schrie vor Angst, weil sie dachte, wirklich dachte, dass er sie hinunterwerfen würde, und da, als sie ihn anflehte, lass mich, bitte wirf mich nicht runter, wurde ihm plötzlich bewusst, dass ihre Füße schon lange nicht mehr den Boden des Hochsitzes berührten, und er ließ von ihr ab, half ihr sogar, sich auf die Bank zu setzen, kniete sich wieder vor sie hin und legte ihre rechte, vom Wald schmutzige Hand auf sein Gesicht. Sie aber ließ ihre Hand nur kurze Zeit dort liegen, dann sprang sie auf, floh die Leiter hinunter, und so eilig hatte sie es, dass sie von der vorletzten der feuchten Sprossen rutschte und ins Gras fiel. Er sah vom Hochsitz aus zu, wie sie sich aufrappelte, mühselig wie ein Käfer, und mit einer Hand über ihre Hose wischte, und wunderte sich, wie schnell der Nachmittag sich gedreht hatte. Sie rannte weg, stolperte noch einmal, als sie sich zu ihm umdrehte, dir werd ich's zeigen!, schrie sie aus einiger Entfernung – er hatte sich nicht die Mühe gemacht, ihr zu folgen –, mein Vater wird dich bestrafen, sie rief: Er wird dich verprügeln!

Das übernahm dann sein eigener Vater, nachdem er den Telefonhörer aufgelegt und Gunther gefragt hatte, stimmt das?, und der antwortete, so viel Theater nur wegen einem Kuss, aber da fuhr ihm sein Vater mit der Hand über den Mund und schrie: Der Kuss war's nicht, du Sau, der Kuss nicht, aber dass du sie hast umbringen wollen! Fast gleichmütig ließ er die Prügel über sich ergehen, erstaunt, dass seine Eltern, die ihm nicht einmal zutrauten, zwei Tage alleine im Haus zu bleiben, und die bei jeder Reise, die sie unternahmen, die Großmutter kommen ließen, dachten, er könne jemanden umbringen.

Wenn er jetzt zu schnell geht, kommt er außer Atem, das weiß er, weil er sich erinnert, dass der Waldweg hier steil wird, unerwartet, denn wer rechnet schon im Flachland mit hügeligen Wäldern, aber es ist so, ein Hügel ist da, der sich über hundert, zweihundert Meter nach oben wölbt und erst dann wieder absenkt, in einer Sanftheit, die die Atemlosigkeit nicht rechtfertigt. Er schlägt mit einer Rute, die er vorhin von einem Strauch gerissen hat, gegen die Büsche und Gräser am Rand des Weges, und die schütteln sich wie nasse Hunde und lassen winzige Tropfen springen.

Mit seinem Freund hat er Stöcke gesucht, damals im Nebel, er hat den Weg gekannt, immer tiefer hinein in den Wald, rechts den Seitenpfad entlang, dann geradeaus, und der Freund hat ihm die rechte Hand hingehalten und die Augen geschlossen und sich führen lassen, strauchelnd wie der unglückliche König von The-ben, über den sie in der Schule gelacht und die Köpfe geschüttelt hatten, die Nadel mitten hinein in die Augen! In der Nähe des Schießstandes blieben sie stehen, und dort wurden sie fündig, zwei lange, schmale Stöcke, Gerten geradezu, und die haben sie mit ih-ren Taschenmessern erst geschält, Bahn um Bahn, und dann spitz zugefeilt, und zwischendurch haben sie immer wieder die Finger an die Spitze gelegt und ein bisschen gedrückt. Erst wenn es weh-tat, war es richtig. Gunther sagte zu seinem Freund, ich steche dir die Augen aus, und seinen Stock hielt er dabei wie einen Speer in der Hand, die Spitze auf seinen Freund gerichtet. Der Freund lachte und schnitzte weiter an seinem Stock, er sagte, und ich ritz' dich auf wie einen Hasen, den ganzen Bauch hinauf, und mit dem Finger tippte er dabei gegen die Spitze seines Stockes, aber zufrie-den war er noch nicht.

Er wollte dem Freund nicht wirklich die Augen ausstechen, natürlich nicht, aber ein kleiner Schreck, dachte er, ein kleiner Schreck sollte schon drinsein, und später dann würde einer dem an-deren die Hand auf die Schulter legen und sie würden lachen über das Spiel. Er hob seinen Speer und ließ ihn nach vorne sausen, und gerade in diesem Moment wandte der Freund sich ihm zu und der Speer traf ihn im Gesicht, unterhalb des linken Auges. Der Freund blutete sofort, er schrie, schrill und für einen Jungen viel zu hoch, und ließ erschrocken seinen Stock fallen. Gunther wollte dem Freund helfen, der laut schluchzte, sich eine Hand auf die Wunde legte, dann die Hand besah, das Blut ableckte, noch stärker weinte und die Hand wieder auf die Wunde presste, aber dann musste Gunther lachen, so sehr, dass er beinahe hinfiel, und der Freund verstummte und drehte sich um, den Waldweg rannte er entlang, und Gunther lachte weiter, und als er endlich nicht mehr lachte und hinterherrannte, immer wieder den Namen des Freundes rufend, konnte er ihn nicht finden.

Den ganzen Abend wartete er auf den Anruf und darauf, dass sein Vater den Hörer abnehmen und zuhören würde und dass er danach seinen Gürtel aus den Schlaufen ziehen und ihn niedersausen lassen würde, und als der Anruf endlich kam, hörte sein Vater zu, sagte mehrmals, nein, sagte, ich weiß nicht, und rief ihn schließlich ans Telefon. Der Vater seines Freundes fragte, ob er wisse, wo der Freund sei, seid ihr nicht heute zusammen gewesen, habt ihr euch nicht getroffen?, fragte er, und Gunther sagte, nein, er habe ihn heute gar nicht gesehen, dann fügte er hinzu, er habe sich auch schon gewundert, weil sie eigentlich tatsächlich verabredet gewesen seien, und der Vater seines Freundes seufzte und sagte: Danke.

Am Tag nach seinem Verschwinden verständigten die Eltern des Freundes die Polizei, und manche im Dorf wunderten sich; warum, fragten sie einander, wenn sie sich beim Einkaufen begegneten, wartet man denn da so lange, eine ganze Nacht, aber die Eltern hatten wohl gehofft, ihr Sohn sei ausgerissen, ein paar Stunden Freiheit nur, dann käme er von selbst zurück. Sie waren am Morgen in die Schule gekommen und hatten bei den Klassenkameraden nachgefragt, ob er Probleme gehabt habe, und keiner wusste etwas, ein Achselzucken hier, ein Kopfschütteln dort, war er nicht schlecht in Physik?, sagte einer, und ein anderer sagte: Ja, aber nicht sehr. Auch Gunther wurde gefragt, und er überlegte und sagte, er wisse nicht, ob er darüber sprechen dürfe, er wiegelte ab, der kommt bestimmt zurück, aber die Eltern drängten ihn, und da fragte er und wusste selbst nicht, wie er darauf kam, ob sie denn nie etwas bemerkt hätten, und als die Eltern wissen wollten, was er damit sagen wolle, was sie in drei Gottes Namen hätten bemerken sollen, wandte er sich ab und sagte im Weggehen: Dass er anders ist. Quer über den Schulhof rannte ihm der Vater hinterher, an den Schultern packte er ihn, drehte ihn zu sich um und schüttelte ihn, nein, schrie er, das sei doch Unsinn, aber Gunther zog nur die Augenbrauen hoch und schwieg, und die Schüler flüsterten sich die Neuigkeit zu, und wenn sie jetzt über den Vermissten sprachen, dann wie über etwas Vergangenes, denn so einer bringt sich um, der haut nicht nur ab.

Mit schmutzigen Kleidern, die Wunde auf der Wange verkrustet, lief der Freund am Abend des zweiten Tages die Hauptstraße des Dorfes entlang, und Gunther, der in entgegengesetzter Richtung gefahren war, stieg vom Rad, lehnte es an eine Hauswand und folgte ihm in einigem Abstand. Wer den Freund ansprach, erhielt nur ein Kopfschütteln zur Antwort, irgendwann weinte er. Ein Nachbar brachte ihn schließlich nach Hause. Hinter der Gartenmauer verborgen beobachtete Gunther, wie der Mann den Freund mit einer Hand festhielt, während er klingelte; er sah den Vater aus der Tür treten und seinen Sohn unbeholfen in die Arme schließen.

Vielleicht hat seine Mutter ihn gebadet wie ein kleines Kind, und wenn er nicht zu erschöpft war, hat er sich geschämt, dass sie ihn nackt sah. Während sie den Schwamm über seinem Nacken ausdrückte und die hervorstehenden Schulterblätter betrachtete, sagte sie womöglich, es ist gut, und dass sie ihn liebten, so oder so. Einige Tage lang gab es im Dorf Gerüchte, aus dem Wald sei er gekommen, erzählte die Metzgerin ihren Kundinnen, die geduldig anstanden und knisternd ihre bunten Kittelschürzen glattstrichen. Hungrig sei er gewesen, nach einer Nacht und einem Tag, in denen er das Regenwasser von den Blättern geleckt habe, der schmale Körper sei noch schmaler geworden, und wie kann es sein, frage sie sich, dass sich ein Dreizehnjähriger noch im Wald verirrt. Gunther verließ den Laden, ohne etwas gekauft zu haben. Als er den Freund wiedersah, der ihn erkannte und sich abwandte, wollte er zu ihm hinlaufen, doch dann blieb er stehen, weil er plötzlich wusste, dass der Freund nicht mit ihm sprechen würde. Am nächsten Tag wurde Gunther krank, und während er immer weiter aufs Fieber zutrieb, sah er den Freund vor sich, sein ungläubig schauendes Auge über der blutenden Wange.

Im Unterricht meldete sich der Freund nicht mehr und in den Prüfungen schrieb er seinen Namen auf das Blatt und lehnte sich dann weit in seinem Stuhl zurück, um aus dem Fenster zu sehen oder die anderen Schüler zu beobachten. Gunthers Blicken wich er aus. Nach den Sommerferien saß der Freund nicht auf seinem Platz, er war nicht versetzt worden. Begegneten sie sich im Dorf, verlangsamte der Freund den Schritt und ließ sich zurückfallen, in die nächste Querstraße bog er ein, und wenn Gunther ihm hinterherlief, bereit, dem anderen die Hand zu reichen, sich vor ihm in den Rinnstein zu knien, so dass der Freund den Kopf nicht hätte heben müssen, um ihn anzusehen, fand er ihn nicht. Vielleicht stand er in einem der Hauseingänge und betrachtete die Klingelknöpfe, während Gunther die Straße hinablief. Erst als der Freund im Arm ein Mädchen hielt, das schönste, sah er nicht mehr fort und ging an Gunther vorbei, als sei das nichts, und das Mädchen sah von einem zum anderen, und später hörte er es lachen.

Seit Stunden, denkt er, läuft er nun, sein linkes Handgelenk ist nackt, die Uhr, erinnert er sich, liegt zu Hause, auf dem Nachttisch, wo er sie gestern Abend abgelegt hat, nachdem er sich ein letztes Mal vergewissert hatte, wie spät es war. Zu Hause, denkt er und dann spricht er die Worte leise einige Male aus. Hunger spürt er keinen, aber durstig ist er, und als endlich rechts des Weges ein Rinnsal zu sehen ist, beugt er sich hinab, hält die Hände zu einer Schale geöffnet in das Wasser, hebt sich Wasser und Dreck an den

Mund und trinkt. Wenn jetzt einer käme, wär's vorbei, sein ganzer Rücken im Fadenkreuz.

Mit vierzehn Jahren war Gunther einmal mit zur Jagd gegangen. In der Hand hatte er eine doppelläufige Schrotflinte gehalten, nur schießen, das hatte sein Vater ihm zuvor gesagt, dürfe er nicht, aber anlegen und zielen. Die Waldwege entlang, dann durchs Unterholz waren sie gegangen, schließlich waren sie an eine Wiese gekommen, die kniehoch mit Kraut bewachsen war und auf der, gut fünfzig Meter entfernt, ein Reh mit seinem Kitz äste. Wo eine Ricke ist, ist auch ein Bock, hatte der Vater gesagt und das Gewehr in den Anschlag genommen. Am Rand der Wiese hatten sie gestanden, und der Hund hatte an kurzer Leine neben dem Vater sitzen müssen. Seine rechte Vorderpfote hatte geblutet. Wenn er sie leckte, fielen ihm die langen fedrigen Ohren vors Gesicht. Der Vater hatte Gunther nicht erlaubt, dass er sich die Pfote anschaute, und Gunther hatte stillgestanden. Als der Bock aus dem Wald heraustrat und sich witternd umblickte, winselte der Hund. Gunther sah ihn an. Beweg dich nicht, zischte der Vater, gerade als Gunther vorsichtig einen Schritt zur Seite machte, um den Hund zu streicheln. Mit einer leichten Drehung des Kopfes blickte der Vater ihn an, und der Schuss, der sich löste, vertrieb den Bock, der zurück in den Wald rannte, hinter ihm die Ricke mit ihrem langbeinigen Kitz.

Sie traten sofort den Heimweg an, die Lust war dem Vater vergangen. Mit dem Griff seines Gewehres stieß er Gunther einige Male in den Rücken, als der vor ihm herging, aber nicht so fest, dass er hätte fallen müssen, vielleicht, denkt er, hatte er sich absichtlich fallen lassen und darauf gehofft, dass der Hund sich über sein Gesicht beugen und es lecken würde, aber auf dem Boden liegend, konnte er den Hund neben dem Vater laufen sehen. Lautlos zählte Gunther bis sechzig, dann stand er auf und ging seinem Vater hinterher, zweimal legte er das Gewehr an und machte leise ›peng‹.

Die rote und die blaue versenken, am Ende die schwarze Kugel ins richtige Loch. Als er sich aufrichtete, um eine Zigarette anzuzünden, stand der Freund vor ihm, ein Queue in der Hand. Ein Spiel?, fragte er, leichthin, als lägen nicht fünf Jahre Schweigen zwischen ihnen, und Gunther sah ihn ungläubig an, dann nickte er und sagte: Ein Spiel. Die Halben für den Freund, die Ganzen für ihn, er zögerte vor jedem Stoß, beugte sich weit über den Tisch und nahm Maß, einmal berechnete er den Abstand der Kugel zum Bandenrand, indem er Daumen und Zeigefinger so weit wie möglich spreizte. Der Freund lachte. Bevor er das Queue anlegte, schaute er sich jedes Mal um, dann ließ er die Beine in den Knien einknicken, beäugte die Kugel, ließ den Stock einige Male vor- und zurückzucken und stieß zu. Sie setzten die Gläser an und bestellten nach jedem Spiel neues Bier. Der Freund erzählte von seiner Lehre, Schreiner also, sagte Gunther, und vielleicht dachten beide an die Stöcke und daran, wie sie immer spitzer wurden. Unter dem Auge des Freundes sah er eine kleine runde Narbe. Der Freund zwinkerte, wenn er ihn zu lange ansah. Nach jedem Spiel wehrten sie alle ab, die gegen sie antreten wollten, bis der Kellner, ein behäbiger Mann mit Glatze und faltigem Nacken, die Stühle hochzustellen begann und sie in den Schnee hinausschickte.

Wer wen zuerst stieß, weiß er nicht mehr. Vielleicht der Freund ihn, vielleicht er den Freund, der irgendwann stürzte und ihn mit sich riss. Die Lichter eines Autos glitten über sie hinweg, das Haar des Freundes war nass vom Schnee, er sah eine Schramme am Kinn des Freundes und spürte ein Brennen an der Stirn, die Hose durchnässt, drei Mädchen, die vorbeigingen und kicherten, dann wieder Stille und der Freund, der ihn zu sich heranzog, ein letzter Schlag in den Bauch, der ihn sich krümmen ließ, dann stießen ihre Schneidezähne gegeneinander und er schmeckte Blut.

Mit dem Zeigefinger zeichnete Gunther die Umrisse der Blumen nach, die auf dem Wachstuch abgebildet waren, rot und gelb und grün, und dazwischen die Spritzer von der Tomatensoße, die der Freund direkt aus dem Topf über die Nudeln geschüttet hatte. Sie schnitten die Nudeln klein und schaufelten sie mit Löffeln in den Mund, und der Freund holte den Rotwein aus dem Schrank, in dem sonst nur noch einige Konserven standen. Sie stießen auf die erste eigene Wohnung des Freundes an, aber sie hatten es eilig, noch während des Essens schauten sie sich herausfordernd an. Der Freund sagte, was ist, was schaust du so, und Gunther entgegnete, was soll schon sein, und schob sich einen Löffel Nudeln in den Mund. Die Küchenuhr mit den Zeigern in Form von Rennwagen, die der Freund von seinen Eltern zur Einweihung bekommen hatte, zeigte zwei Uhr an. Als sie den Tisch abräumten, fiel Gunther ein Messer auf den Boden. Der Freund sagte drohend: Heb das auf. Er sagte: Sofort.

Gunther kniete sich vor den Freund, nahm das Messer in die Hand, sah es an, erhob sich und hielt es dem Freund an den Hals. Ich könnte dich töten, sagte er, und der Freund sagte, ja, das könntest du, und wartete ab, aber Gunther ließ die Hand sinken und kniete sich wieder vor den Freund, dessen Beine er umklammerte, und der Freund bewegte das rechte Bein ein wenig und trat ihn dabei, als wolle er ein lästiges Kind abschütteln, dann beugte er sich hinunter und zog dem anderen das Hemd über den Kopf.

Wenn der Freund sich auf den Stuhl setzte und Trompete spielte, sah Gunther das Foto mit dem Mädchengesicht an, das hinter dem Freund an der Wand hing. Solange der Schnee lag, spielte der Freund die Tonleiter rauf und runter, manchmal auch einfache Kinderlieder, Hänschen klein, Auf der Mauer, auf der Lauer. Als es wärmer wurde, spielte er schon Herzilein und Heißa Kathreinerle. Im nächsten Herbst, sagte er, bin ich beim Umzug der Blaskapelle dabei. Er freute sich darauf und versuchte manchmal, im Gehen zu spielen.

Zu viert gingen sie abends in das Lokal neben dem Bahnhof,

und wenn die Mädchen sich gleichzeitig vom Tisch erhoben, um gemeinsam zur Toilette zu gehen, verstummten die Freunde meist, stießen höchstens mal miteinander an und grinsten dabei. Einmal fragte Gunther, alles klar?, und sein Freund sagte, bald bin ich Schreiner, noch ein Jahr; vielleicht, sagte er, mache ich irgendwann eine eigene Werkstatt auf. Dann kamen die Mädchen zurück und setzten sich an den Tisch und nahmen die Strohhalme zwischen ihre Lippen.

Waren sie alleine, lachten sie manchmal über die Mädchen. Gunther imitierte die Freundin des Freundes, ihre Art, die kleine Handtasche am Arm statt über der Schulter zu tragen, ihren Augenaufschlag, ihre hochdeutsche Aussprache, die trippelnden Schritte und wie sie geziert den Fisch zerteilte, und der Freund lachte und machte das Lispeln nach, mit dem die andere sprach, er sagte zischend: Küss mich. Bisweilen drohte einer von beiden, pass auf, und hob eine Hand, die Handfläche geöffnet, und der andere fragte, willst du mich etwa schlagen?, und holte aus, bevor der Freund zuschlagen konnte. Später sahen sie sich einen Film im Fernsehen an. Meist gab einer von beiden im Laufe des Abends auf und legte sich auf das Bett, das Gesicht nach unten, und wenn sich der andere dann zu ihm legte, sah er nicht auf.

Am zweiten Advent freute sich Gunther über den Schnee, vielleicht, sagte er zu seinem Freund, bleibt er liegen bis nach Weihnachten, aber der Freund sagte: Sei nicht kindisch. Er packte seine goldglänzende Trompete aus, setzte das Mundstück an und begann zu spielen. Gunther setzte sich auf das Sofa und sah dem Freund zu. Im Herbst war der Freund beim Umzug mitgelaufen, in der dritten Reihe, die bunten Tressen seiner Uniform hatten bei jedem Schritt geschaukelt, Gunther war dem Umzug bis zum Ende gefolgt. Seither hatte der Freund viel geübt, er spielte nun auch klassische Stücke. Gunther wippte mit den Füßen im Takt der Musik. Als der Freund den Hochzeitsmarsch spielte, breitete er die Arme aus und dirigierte ein unsichtbares Orchester. Der Freund spielte das Stück zu Ende, dann setzte er die Trompete ab, nahm das Mundstück und schlug es auf seinen Knien aus, ein feuchter Fleck blieb auf der Jeanshose, er sagte: Im Frühjahr heirate ich. Gunther sah aus dem Fenster. Der Schnee auf der Wiese machte die Nacht hell. Er stand vom Sofa auf und nahm seine Jacke. An der Tür drehte er sich um, der Freund saß immer noch auf dem Stuhl, in der Hand die Trompete, Gunther schrie: Ich auch!

Ein Wurzeltrieb am Boden, beinahe wäre er gefallen, im letzten Moment kann er sich abfangen. Sein Atem ist laut. Als er die Luft anhält, kann er einen Vogel pfeifen hören, ein anderer antwortet. Das Laub raschelt, wenn er die Füße schleifen lässt. Vielleicht, denkt er, stolpere ich noch einmal. Diesmal würde er sich fallen lassen. Er denkt: Alles, was wehtut, ist gut.

Der Pfarrer vergaß, die beiden zum Kuss aufzufordern, aber die Braut beugte sich Gunther zu, und er küsste sie und sah, ohne hinzuschauen, das Kreuz vor sich, den gesenkten Kopf des Heilands, warum nur hast du mich verlassen. Inmitten der Bekannten vor der Kirche stand der Freund, beide Hände in den Hosentaschen. Als sie durch das Spalier aus gekreuzten Gewehren gelaufen waren, unter Hochrufen, gebückt und immer wieder die Lodenjacken der Jäger streifend, war er verschwunden.

Seine Frau hatte fahrige Augen, von Anfang an. Nur wenn sie Angst hatte, wurden die Augen ruhig und rund wie die eines Kalbes, das ergeben auf den Schlag ins Genick wartet, und er hat manchmal gedacht, die Augen sind schuld, diese Tieraugen mit den langen Mädchenwimpern, wenn er nicht wusste, hat sie Angst oder ist das Liebe, und eines ging ins andere über, aber wer kann das Glück erklären, wenn es einen überfällt.

Er denkt, er könne nie mehr aufhören zu gehen, nie mehr stehenbleiben, länger als einen Atemzug, und tu ich es doch, denkt er, sehe ich vor mir, wie sie zurückweicht in die Ecke des Zimmers. Ob sie ihn schon suchen? Wer immer weitergeht, kommt niemals an, und wäre das nicht möglich – den Wald durchqueren und das Tal verlassen, und bald schon ist das Dorf nicht mehr als eine Erinnerung, die immer weiter verblasst, und würde einmal einer zu ihm sagen, war das nicht dort –, würde er sagen: Das weiß ich nicht. Vielleicht, denkt er, sind Eisbären weißer als der Schnee und weißer als der Nebel, der nun zur Nacht geworden ist, und dann fällt ihm ein, dass Eisbären nur deshalb keine Pinguine fressen, weil die am Südpol, Eisbären aber am Nordpol leben. Sonst, denkt er, wäre das anders, und dann denkt er: Noch wie viel Schritte bis zum Südpol. Mit den Pinguinen wird er zum Wasser laufen, die Oberkörper nach vorne gebeugt, die Arme hinter dem Rücken, und vielleicht, denkt er, macht das glücklich: den Kopf voran ins eiskalte Wasser tauchen, als Gleicher unter Gleichen.

Nachbeben

Am frühen Nachmittag erreichen sie das Dorf, das weiße Dorf, wie es im Reiseführer genannt wird (tatsächlich ist es hell: die schmucklosen Häuser, die Brunnen, der blasse Stein der Straßen und Plätze), und Ellen beugt sich vor und fragt, wann sind wir endlich da? Albert zieht eine Grimasse, die an eine Teufelsmaske erinnert oder an ein seltsames Tier, und Irene sagt: Jetzt.

Vom zweiten Stock des schmalen Holzhauses aus sieht Irene das Meer, eine grüne Fläche, die sich zum Horizont hin wölbt und die sie einen Moment lang für eine Wiese hält. Sie sieht, wie David und Almo im Garten sitzen und David seinen blonden Kopf in Almos dunkles Fell legt; sie beobachtet, wie Ellen und Albert vom Auto zum Haus gehen, wie sie die Taschen und Koffer hineintragen. Für ihr Alter ist Ellen groß. Sie ist erst elf, aber sie hat ein erwachsenes, dreieckiges Gesicht mit breiten Wangenknochen und kurzem Kinn. An ihren Augen kann man alles ablesen: Schrecken, Freude, vor allem Ungeduld (der Blick nach oben bei gesenktem Kopf, eine einzelne steile Falte zwischen den Brauen); wegen ihrer Augen kann Ellen nicht lügen, aber vielleicht lernt sie es noch. Sie behandelt David mit zärtlicher Verachtung, sie liebt es, ihn zu umarmen und zu küssen, doch er lässt sich das nicht mehr gerne gefallen. Sie lacht, wenn er sie abschüttelt.

Die nächsten Häuser sind gut fünfzig Meter entfernt, weit genug, um Ruhe zu haben, nah genug, um sich nicht einsam zu fühlen. Zwischen den Häusern und dem Meer liegt ein Pinienhain, ein schmaler, hoher Streifen locker stehender Bäume. Vom Garten führt ein Trampelpfad zwischen den Stämmen hindurch an den

Strand; Ellen und David laufen vorneweg, um ihre Beine springt Almo und schnappt nach ihren Knöcheln, sie rufen, hör auf!, aus!, aber Almo versucht es immer wieder. Am Strand legt er sich in den Schatten, stößt von Zeit zu Zeit die Schnauze in den Sand und beginnt zu graben, eifrig, als habe er die unterirdischen Tritte einer Maus vernommen, irgendwann gibt er auf, kippt zur Seite und hechelt. Irene und Albert breiten ihre Handtücher nebeneinander aus. Sie blicken aufs Wasser, das nur in der Ferne ruhig scheint und solide, während es sich im Näherkommen tosend aufbäumt, um gleich darauf in sich zusammenzustürzen. Wenn sie etwas sagen, sind sie höflich, zwei Fremde auf einer Feier. Die Kinder schwimmen ein paar Züge, dann richten sie sich im flachen Wasser auf und warten mit vorgestreckten Armen auf die Wellen, in die sie mit Kopfsprüngen eintauchen.

Die Tage sind matt und blau, sie reihen sich aneinander, unterschiedslos in ihren Gerüchen, Geräuschen und Farben. Einmal sehen sie in der Nähe der Küste ein Schiff, seine träge flatternden Segel, die Flagge eines Landes, das sie nicht kennen.

Der Nachbar trägt eine knielange Badehose, deren Nähte farbig abgesetzt sind, und ein Poloshirt. Wie wäre es, wenn Sie und Ihre Frau heute Abend zum Essen kämen?, fragt Irene. Aus ihrem Schlafzimmerfenster beugt sich Ellen heraus und betrachtet unbeteiligt das Geschehen. Vom Strand her ertönt das Heulen einer Sirene; als es verstummt, herrscht für Momente eine unterseeische Stille, dann sind wieder Stimmen zu hören, brüchig wie Glas. Sturmwarnung, erklärt der Nachbar. Gehen Sie vorerst besser nicht ins Meer.

Sie kommen pünktlich und bringen eine Flasche Wein und einen Kaktus mit. Man verschenkt eigentlich keine Kakteen, nicht wahr?, sagt Linda. Sie hat die dunklen Haare zu mädchenhaften Locken aufgedreht und trägt Ohrringe, die bei jeder Bewegung vor und zurück schaukeln. Ihr Gesicht ähnelt dem einer sanft gealterten Puppe: die kreisrunden Augen unter den zu erstaunten Bögen gezupften Brauen, die kindliche Nase, der kleine Mund. Hübsch, aber mit einer ersten Schlaffheit in den Wangen. Sie lächelt viel, ein um Nachsicht bittendes, verhaltenes Lächeln, das Mitleid erregt und den Wunsch, ihr wehzutun. Sie ist nicht dick, aber auch nicht ganz schlank; fraulich, ist der Ausdruck, der Irene als Erstes in den Sinn kommt. David und Ellen haben auf dem Fußboden gespielt, jetzt sind sie aufgestanden, um die Gäste zu begrüßen. Linda beugt sich zu ihnen hinab und streicht David über das Haar, das vom Teppich elektrisiert ist und ihm wie der verblühte Flor einer Kuhblume um den Kopf steht.

Linda und Peer leben die Hälfte des Jahres hier, die andere Hälfte arbeiten sie als Galeristen. Sie verkaufen moderne Kunst, Bilder, Installationen, vor allem Skulpturen. Das meiste davon erotisches Zeug, sagt Linda, nackte Frauen, ineinander verschlungene Menschen, riesenhafte Genitalien in grellen Farben. Sie gibt ein kurzes Lachen von sich. Die Leute mögen das, man kann gut davon leben. Sie sieht sich in der Wohnung um. Es sieht anders aus, stellt sie fest. Hast du gesehen, Peer?, es ist renoviert worden. Sie kannten die Leute, die das Haus in den Jahren zuvor gemietet hatten. Engländer, sagt Peer, nette Familie, aber nicht gerade zugänglich. Er zieht die Augenbrauen in die Stirn und sieht nachdenklich auf seinen Teller. Und ziemlich unglücklich, fügt er hinzu, so schien es wenigstens. Während er spricht, schneidet er geschickt den Bauch des Fisches auf und löst das Fleisch von den Gräten. Das Besteck sieht klein aus in seinen Händen, er ist größer, als es zunächst den Anschein hatte, sehr muskulös, fast unförmig. Bei ihrer ersten Begegnung hatte Irene ihn auf Mitte fünfzig geschätzt, jetzt ist sie sich nicht mehr sicher; er könnte jünger sein, in seinen dunklen Haaren ist kein Grau zu entdecken. Sein Gesicht ist breit, sein Blick so unverwandt, dass er mitunter bedrohlich wirkt. Die Oberlippe ist schmaler als die Unterlippe, die Mundwinkel sind langgezogen und enden in zwei kurzen Falten; wenn er lacht, vertiefen sich die Falten zu kleinen Mulden. Er hat eine Theorie über das Leben, die er mit großem Ernst erläutert. Die Welt bestehe aus Gegensätzen, die sich zu einer spannungsreichen Einheit zusammenfügen: das abstrakte und das konkrete Denken, die Suche nach Neuem und die nach Geborgenheit, die Strenge und die Sanftmut, das Nehmende und Gebende. All das. Licht und Dunkel. Männer und Frauen. Erst aus den Widersprüchen entsteht Großes, sagt Peer und sticht seine Gabel in die Limonentarte, wo sie stecken bleibt, aufrecht wie ein Spaten im Schnee. Was habe die Moderne erreicht, mit ihrem Drang zur Nivellierung? Nichts, sagt er entschieden, nichts als Unordnung und Konfusion. Nehmt zum Beispiel die Ehe: Hier bin ich der General und Linda ist die Kavallerie, nur darum funktioniert's, und Linda sagt feierlich, als rezitiere sie ein Gedicht: Wir sind eine Null und eine Eins, aber zusammen sind wir eine Zehn. Peer nickt ihr zu, wie man einem Kind zunickt, das gefallen will. Wie ist das bei euch, fragt er, wie habt ihr euch arrangiert? Er sieht Irene an, und sie sagt mit einer Gelassenheit, der sie selbst nicht traut: Keine Arrangements, keine Rangordnung, wir schlagen uns so durch.

Sie hat den Eindruck, dass sich hinter Peers Besonnenheit, seiner Ruhe und dem demonstrativen Interesse an dem, was sie sagt, hinter seiner ganzen ausgeklügelten Kultiviertheit und Schläue eine Brutalität verbirgt, eine Rohheit, die nur notdürftig bemäntelt ist. In manchen Momenten – wenn Linda zu sehr auf das vertraut, was man weiblichen Charme nennen könnte – bricht diese Brutalität auf, lässt sich in seinem Gesicht erkennen, in dem Blick, den er Irene zuwirft. Und wie sieht's aus, fragt er, wollt ihr im nächsten Jahr wiederkommen? Albert sagt, wer weiß schon, was in einem Jahr sein wird? Er presst die Lippen zu einem Lächeln zusammen, sieht Irene an und dann rasch seine im Schoß verschränkten Hände. Seit Wochen trägt er seine Bereitschaft zur Vergebung vor sich her wie eine Fahne.

Nach dem Essen steht Linda auf. Nein, wehrt sie ab, als Irene ihr den Weg erklären will, ich erinnere mich, wo die Toilette ist, wir waren ja schon oft hier. Irene sieht ihr hinterher, wie sie zur Treppe geht. Lindas Gang hat etwas Laszives, sie knickt in den Hüften ein und macht kleine Schritte, bei denen sie die Füße so exakt voreinander setzt, als balanciere sie auf dem schmalen Grat einer Mauer; an der Treppe bleibt sie einen Moment lang stehen und sieht, eine Hand auf dem Geländer, zu ihrem Mann zurück, vielleicht ist sie betrunken, vielleicht möchte sie ihm mit ihrem Blick etwas mitteilen, aber Peer sieht sie nicht an. Als sie nach fünfzehn Minuten nicht zurückgekommen ist, geht Irene ihr nach. Linda steht im Schlafzimmer und dreht sich nicht um, als Irene eintritt. Die Bettdecke ist unordentlich; Linda muss sie in aller Eile glattgezogen haben, Irene glaubt die Stelle sehen zu können, auf der Linda bis eben gesessen hat. Linda verschränkt die Ellbogen vor der Brust und schiebt die Unterlippe vor, als überlege sie. Siehst du den roten Saum am Himmel?, fragt sie schließlich. Ist das nicht schön? Irene sieht den Sonnenuntergang an, das Rot, das an den Rändern verwischt und in die Farbe einer abheilenden Wunde übergeht, die dunklen Wolken, die sich, zögernd wie scheue Tiere, vor das Leuchten schieben. Ja, sagt sie, wirklich schön.

In der Nacht setzt der Regen ein, der Sturm reißt am Haus, bis es ächzt. Im ersten Morgenlicht kommen die Kinder zu ihnen und legen sich zwischen sie. Es stürmt den ganzen Tag, und sie verlassen das Haus nur kurz, um mit Almo zum Pinienwald zu gehen. Das Haus ist ihr Schiff, Irene ist der Kapitän und Albert erster Offizier. David ist der Maat und kocht das Mittagessen, Ellen hilft ihm. Sie schneiden Paprika und Zwiebeln in dünne Ringe und braten sie an, bis das ganze Haus danach riecht. Sie spielen, was wärst du für ein Tier, wenn du eins wärst? Sie sind ein Schakal (Albert), ein Gnu (Irene), ein Reh (Ellen) und ein Hamster (David). Sie spielen Theater; Ellen legt Irenes Schmuck an und bindet sich einen Seidenponcho als Schleier um den Kopf, David führt sie ins Wohnzimmer und ist ihr Diener. Er nimmt ihre Befehle entgegen und holt das Gewünschte (Kissen, einen Apfel, Stifte, den Malblock). Er baut ihr aus den Kissen einen Thron, er reicht ihr den Apfel, und sie isst langsam, während er neben dem Kissenthron kniet und aufmalt, was sie ihm befiehlt. Als ihr langweilig wird, nimmt sie ihm den Block aus der Hand und schreibt auf ein leeres Blatt: Hiermit gebe ich dich frei, und Irene muss David erklären, was das heißt und dass er nicht weinen muss.

Am Abend bringt Linda ihnen eine Packung Kerzen. Ihre Locken sind aufgelöst, die Strähnen hängen feucht herab, sie sieht älter aus als gestern. Vielleicht könnt ihr sie ja brauchen, sie zuckt mit den Schultern, wäre nicht der erste Stromausfall hier. Am Gartentor dreht sie sich noch einmal um. Keine Sorge, sagt sie, wir kümmern uns um euch.

Weil das Wetter auch am nächsten Tag nicht aufklart, beschließen sie, zum dreißig Kilometer entfernten Aquarium zu fahren. Das Dorf ist nicht weiß an diesem Morgen; es ist grau und von einer dunklen Wolkendecke überspannt, die keinen Strahl durchlässt und keine Wärme. Die langen Blätter der Palmen werden gezaust, die Läden haben ihre Markisen eingefahren und die Auslagen nach innen geräumt. Die Stühle des Cafés sind gegen die Tische gelehnt und strecken ihre gusseisernen Beine von sich. Ein Mann in langem Kittel rennt über die Kreuzung, in jeder Hand eine Milchpackung. Sie biegen auf die Landstraße ein, fahren durch schroffe, rote Felsen, die Straße ist eine Rinne, durch die das Auto wie eine Murmel gleitet. David und Ellen streiten sich kurz, dann schweigen sie und wenden die Köpfe ab, um sich bis zum Ende der Fahrt nicht mehr anzusehen.

Die einzigen Lichtquellen sind die Aquarien, große Glasquader, aus denen heraus es leuchtet. Ellen steht vor dem Becken mit den Kaiserfischen. Sie presst ihr Gesicht gegen die Scheibe, der schönste der Fische (mit blauem Kopf und gelb kariertem Bauch) schießt auf sie zu und weicht dann ruckartig zur Seite aus. In einem anderen Aquarium schwebt ein Seepferdchen vorbei, das eine lange, rüsselartige Schnauze hat und acht Flossen. Es gibt kugelige Fische und solche, die an auffällige Broschen erinnern. Albert erzählt den Kindern, was er über die Fische weiß; es ist nicht viel. Irene geht in einen Raum, in dem sich außer ihr nur ein alter Mann befindet, der auf der Steinbank rechts der Tür mit auf die Brust gesunkenem Kinn schläft. Wenn sie sich in den Scheiben spiegelt, sieht es aus, als lebte auch sie in der Unterwasserwelt, als streckte die Seeanemone ihre zahllosen Finger nach ihr aus, fordernd und unheimlich, als schauten sich die mageren Röhrenaale, die senkrecht aus dem Boden ragen, suchend nach ihr um. Als sie die goldgesprenkelten Piranhas betrachtet, wie sie, reglos bis auf das Spreizen der Kiemen und das nervöse Rollen ihrer hervorquellenden Augen, einander belauern, als würden sie der eigenen Art misstrauen, überkommt sie die Erinnerung wie ein heftiger Stoß vor die Brust.

Die Müdigkeit. Die Scham. Und, mit irritierender Gleichzeitigkeit, eine jähe Freude.

Während sie im Aquarium waren, muss ein Gewitter niedergegangen sein. Auf dem Parkplatz liegen Äste herum, die sie bei ihrer Ankunft nicht bemerkt hatten, und es gibt Pfützen an Stellen, wo vorher keine waren. Die Dämmerung hat eingesetzt, eine gelbliche, ins Braune sinkende Dunkelheit. Ein Zittern liegt in den Kronen der Bäume, eine letzte Vibration, ein Nachbeben. Es ist dunkel, als sie ins Dorf zurückkommen. Sie parken das Auto neben dem Haus. Im Garten stehen Peer und Linda, sie winken, und Ellen schnaubt und hebt unwillig die Hand, um auch zu winken. Was machen die denn schon wieder hier?, fragt Irene leise. Peer trägt einen schwarz glänzenden Regenmantel und Turnschuhe, seine Beine sind nackt. Die Regenjacke von Linda ist gelb, beide haben sich die Kapuzen über die Köpfe gezogen; sie hängen ihnen weit in die Stirn und machen ihre Gesichter klein. Wir dachten schon, ihr wärt abgereist, sagt Peer. Kamen gerade hier vorbei und haben in alle Fenster geschaut, aber nirgendwo war Licht. Ihr solltet immer ein Licht anlassen, unterbricht Linda ihren Mann, sonst wird vielleicht noch eingebrochen. Tja, sagt Albert, da habt ihr wohl recht. Er lächelt und nickt einige Male. Linda sagt, schlimmes Wetter, ich bin ganz durchgefroren. Sie schüttelt sich, ich werde bestimmt krank, hab' so was im Gefühl. David steht an der Haustür und ruft, schließ doch mal einer auf! Wollt ihr mit reinkommen?, fragt Irene, und Peer sieht fragend zu Linda, die den Kopf zur Seite legt, einen unschlüssigen Kussmund macht und einmal kurz mit den Schultern zuckt. Na, warum nicht, sagt Peer, aber nur auf einen Sprung.

Die Hitze kommt unvermittelt zurück, sie fällt auf das Dorf, auf seine von Schlamm befleckten Mauern, die braunen Rinnsale, die zerrissenen Girlanden in den Nationalfarben; sie ist so stark, als müsse sie die zwei verschenkten Tage wiedergutmachen. Albert ist mit den Kindern im Wasser. Sie haben eine Luftmatratze dabei, und Irene kann ihre Rufe hören, ihr Lachen. Das gleichmäßige Heranrollen der Wellen, die Wärme auf ihrem Bauch, der Sand, der sich den Formen ihres Körpers anpasst. Sie muss eingeschlafen sein; sie befindet sich in einem Zimmer, dessen dunkler Boden zu schwanken scheint. Vor dem Fenster steht ein Mann, sie sieht die Umrisse, kann aber sein Gesicht im Gegenlicht nicht erkennen. Sie glaubt zu wissen, wer es ist; sie ruft seinen Namen, doch er reagiert nicht. Sie geht auf ihn zu, der Boden gibt unter ihren Füßen nach, sie läuft langsam und ungeschickt wie auf einer Turnmatte, es ist Winter, die Stadt vor dem Fenster ist fremd und klamm, sie sagt, da bin ich (und denkt, was für ein Satz, was für eine Feststellung: ein Angebot oder eine Forderung, in die sie ihr ganzes Leben setzt).

Als sie die Augen öffnet, sieht sie ein Gesicht im Blau des Himmels. Hast du gehört, sagt Peer, nicht einschlafen. Sie lächelt, und er setzt sich neben sie. Ist Albert im Wasser?, fragt er. Irene nickt und richtet sich auf. Da hinten! Sie zeigt auf das Wasser, aber sie kann Albert und die Kinder nicht sehen. Wo?, fragt Peer. Da waren sie eben noch, sagt Irene. Sie blickt auf den Strand, der fast leer ist, und es gibt einen Moment lang die Möglichkeit, dass sie verlassen worden ist oder dass es all das (ihre Kinder, Albert, das Haus) nie gegeben hat, dass einzig der Mann existiert, von dem sie geträumt hat. Peer sagt, da ist niemand. Er legt ihr eine Hand auf das Bein, sie betrachtet ungläubig seine Finger auf ihrem Oberschenkel, seinen Handrücken. Zieh dir lieber etwas über, sagt er, du bist schon ganz rot. Er steht auf, sieht sie nachdenklich und ein wenig belustigt an und sagt: Linda, als verbinde ihn und Irene ein gemeinsames Wissen, das mit diesem Namen abgerufen werden könne; als würde der Spott, den er in seine Stimme legt, auch Irenes Spott sein, als betreffe er sie und ihn und Linda. Sie wartet sicher schon, sagt Irene, und Peer nickt und lächelt und dreht sich im Weggehen noch einmal um, ohne seinen Schritt zu verlangsamen. Ellen rennt über den Sand und weicht Peer aus, der bei ihrem Anblick stehen bleibt; in einer Hand hält sie ein Eis, das sie Irene entgegenstreckt. Hast du uns schon gesucht? Sie lacht, du hast sicher schon gedacht, wir wären ertrunken! Und hast du gewusst, dass es hier Quallen gibt, die die Haut verbrennen, wenn man sie berührt?

Albert weiß mehr als Irene. Er weiß, dass er sie liebt und dass das nicht selbstverständlich ist. Er sagt, ich werde dich immer lieben, und: Ich kann dir verzeihen, aber du musst es auch wollen. Er hat sich auf dem Bett ausgestreckt, während Irene, den Kopf in die Hände gelegt, auf dem Sessel am Fenster sitzt. Er spricht mit einer Dramatik, die sie erst erschreckte und jetzt ärgert. Ich mache es nicht mit Absicht, sagt sie matt. Sie hebt den Kopf und sieht aus dem Fenster, sie sagt, rate mal, wer da ist, und Albert fragt, was um alles in der Welt wollen die von uns? Er steht auf und beugt sich über Irenes Schulter, um in den Vorgarten zu schauen.

Peer und Linda haben das niedrige Tor geöffnet und kommen aufs Haus zu; Ellen sitzt in der Hollywoodschaukel, sie stößt sich mit einem Fuß vom Boden ab und nickt den Besuchern kurz und ohne ein Lächeln zu. Irene kann sehen, wie Peer langsam auf sie zugeht, wie sie den Fuß über den Boden schleifen lässt, um der Schaukel den Schwung zu nehmen, wie sie aufsteht und Peer, beide Hände in die Hüften gestützt, zuhört. Von hier oben sieht sie aus wie eine schöne, kleine, sehr zierliche Frau. Sie streckt einen Arm aus und nimmt den Umschlag entgegen, den Peer ihr hinhält, dann wendet sie sich abrupt von den Besuchern ab, die noch einen Moment stehen bleiben, bevor sie den Garten verlassen. Sie sind Bluthunde, die das Unglück riechen und ihre Opfer verfolgen wie angeschossene Tiere, denkt Irene. Sie kann sich nicht wünschen, anders gehandelt zu haben, daran wird auch dieser Urlaub nichts ändern. Unten wird die Haustür geöffnet, und Ellen ruft: Eine Feier, ihr seid eingeladen!

Im Licht der Nachttischlampe betrachtet Irene Albert, der, kaum dass sie sich hingelegt hatten, eingeschlafen ist, während sie in einem Buch gelesen hat, müde und aufgekratzt. Ganz nah hält sie ihr Gesicht vor seines, mustert sein braunes, struppiges Haar, sein schmales Kinn, die zuckenden Lider, hinter denen er Kämpfe auszutragen scheint. Sie legt eine Hand auf seinen Bauch und spürt das Heben und Senken, sie denkt, man sollte nicht im Mai heiraten, sie denkt, ich gehe langsam zugrunde, oder er, und dass es ein Rätsel gibt, das, wenn man es lösen kann, verrät, wen man wirklich liebt, und Albert schlägt die Augen auf, so plötzlich, als habe er gar nicht wirklich geschlafen. Was ist?, fragt er. Nichts, flüstert sie, gar nichts, und er wird wieder einschlafen und sich am nächsten Morgen nicht erinnern können.

Linda trägt ein quergestreiftes Kleid, das sie molliger und kleiner erscheinen lässt, als sie ist. Der Hut auf ihrem Kopf ist aus Bast, an einem violetten Band sind Stoffblüten befestigt, Rosen, Nelken, eine dickblättrige Lilie; ihr Gesicht ist geschminkt, auf ihre Wangenknochen hat sie je einen Klecks Rouge aufgetragen und zu zwei länglichen Striemen hinabgezogen, die Lider schillern grün, eine Schicht Puder ist über die Wangen gelegt, so dass ihre Haut staubig aussieht. Sie dreht sich um die eigene Achse; Irene und Albert bleibt nichts anderes übrig, als zu klatschen und ihre eigenen Kostüme – eine gelbe Tunika, die Irene in der Taille mit einer Kordel zusammengeschnürt hat, und zwei taubengraue Badetücher, die Albert als Turban und Umhang trägt (ein arabischer Fürst, hat Ellen erklärt) – mit einer ähnlichen Geste vorzuführen. Sehr schön, sagt Linda, ihr habt also etwas zum Verkleiden gefunden! Irene sieht erst jetzt, dass Linda an den Füßen nichts trägt außer einigen silbernen Ringen an den Zehen und je zwei Reifen um die Fessel, die bei jedem Schritt ein Klirren von sich geben. Ja, sagt sie. Auf der Einladungskarte stand: Um Verkleidung wird gebeten. Es war Ellen, die sich die Kostüme für sie ausdachte, und sie war es auch, die sie beruhigte, dass sie auf David würde aufpassen können. Wir haben keine Angst, sagte sie und schaute ungeduldig auf ihre Eltern, die verkleidet auf der Bettkante saßen und zögerten, das Haus zu verlassen. Geht schon!

An den Wänden hängen Bilder, die nur aus Farbflächen bestehen, und das Porträt einer Nackten, die sich dem Betrachter über die runde Schulter zuwendet, der Blick auffordernd und ein wenig spöttisch. Das Esszimmer ist voller Menschen; Albert ist nicht der Einzige, der einen Turban trägt, aber es gibt auch originellere Kostüme: einen Ritter mit paketbrauner Papprüstung, eine orientalische Tänzerin mit einem Rock aus Vorhangstoff, eine Squaw, die sich die langen Haare mit Bändern umwickelt und zu einer Fontäne hochgebunden hat. Irene geht zum Esstisch, auf dem Speisen bereitstehen, Gläser, Flaschen und eine Schale mit Eiswürfeln, die schon in sich zusammensacken. Ein Mädchen mit blauen Augen und blassen, nackten Armen ist neben sie getreten, sie hebt eine der Weinflaschen gegen das Licht, dann sieht sie Irene fragend an, und Irene nickt und hält ihr ein Glas hin. Das Mädchen schenkt den Wein ein, Irene trinkt und blickt sich suchend um. Sie kann Albert nicht finden. In einer Ecke des Zimmers sieht sie eine Frau und einen Mann. Der Mann hat ein hageres Gesicht mit eng stehenden Augenbrauen, dunkel und pelzig wie Raupen. Die Frau ist älter als der Mann. Weil sie klein ist, muss sie den Kopf in den Nacken legen, wenn sie mit ihm spricht. Um den Hals trägt sie eine Kette aus bunten Papierblumen. Irene hört die empörte Stimme der Frau und sieht den Mann antworten, sie ahnt plötzlich, dass aus dem Gespräch ein Streit werden könnte, die Frau verstummt, sie senkt den Kopf; es sieht aus, als gebe sie auf oder als sei sie schuldig.

Als Irene sich umdreht, steht Peer hinter ihr. Er ist weiß angezogen, nicht eigentlich verkleidet, nur seine Hände stecken in Latexhandschuhen, wie ein Chirurg sie tragen würde; er deutet mit einem Kopfnicken auf das Paar in der Ecke und sagt leise, das kann nicht gut gehen, oder was meinst du?, und als sie nicht antwortet, fragt er, hast du sie gesehen? Sie folgt seinem Blick und entdeckt zwischen den Menschen Linda, die mit dem Rücken zu ihnen steht. Eine Blume an ihrem Hut hat sich gelöst und droht im nächsten Moment über den Rand der Krempe zu fallen. Sie sieht aus wie ein dickes Bonbon, sagt Peer. Er klingt, als habe Linda ihn enttäuscht. Ein rundes, gestreiftes Bonbon. Aber nein, sagt Irene. Sie ist erschrocken über den Verrat, doch da ist noch etwas anderes, eine boshafte Freude, die Bereitschaft zu einer Gemeinheit. Komm, sagt Peer und zieht sie vom Tisch weg, ich zeig dir was. Seine Hand im Handschuh fühlt sich weich und glatt an; Irene denkt an eine Echse, an die pulsende Haut eines Salamanders. Wo gehen wir hin?, fragt sie. In den Garten, sagt Peer, brauchst keine Angst zu haben. Er redet mit ihr wie mit einem Mädchen, dem er eine Überraschung präsentieren will. Irene lässt sich aus dem Esszimmer ziehen, sie stößt gegen Rücken und Arme, sie entschuldigt sich im Weitergehen. Im Garten lehnt sich ein Mann gegen den Stamm des Affenbrotbaumes, er blickt der Terrasse entgegen, als warte er. Peer zieht sie weiter, bis sie am Ende des Gartens einen Schuppen erreichen, um den er sie herumführt. Er macht einen Schritt auf sie zu, sein Gesicht nähert sich ihrem, eine dunkle Strähne fällt ihm in die Stirn, er ist bedrohlich und im nächsten Augenblick lächerlich, wie eine Kippfigur; Irene sieht an ihm vorbei auf die Lichter eines Hauses, das sie einen Moment lang für ihres hält. Was willst du?, fragt sie unwillig, und Peer tritt einen Schritt zurück und sagt, du musst dir nichts einbilden, weißt du. Aus seiner Hosentasche zieht er ein Päckchen Zigaretten und zündet sich eine an. Vom Haus her dringt Musik zu ihnen, ein langgezogener kläglicher Laut, der von einer Reihe schneller Klavierläufe abgelöst wird. Irene lehnt sich gegen den Schuppen und sieht Peer an; sieht, wie er an der Zigarette zieht, wie seine weiße Kleidung im Dämmerlicht schimmert, sie hört das Geräusch, das entsteht, als er sich mit dem Handschuh über die Haare fährt. Was soll man machen?, sagt Peer, ich mag dich halt. Er sieht sie abwartend an. Und du bist unglücklich, das merkt man, sagt er dann, und Irene beginnt zu lachen, leise erst, dann lauter, als ihr klar wird, wie dumm Peer ist (so dumm, dass er nichts von seinem Zufallstreffer ahnt) und wie richtig das ist, was er sagt. Es gibt die Möglichkeit, sich zu ergeben; es gibt die Möglichkeit, diesen Mann, dessen Alter sie nicht einschätzen kann, der zwischen vierzig und sechzig sein kann, dessen Haare vielleicht gefärbt sind, in diesem unnatürlichen Schwarz, das ihn trotz der Sonnenbräune blass erscheinen lässt, diesen Mann, der seine Frau verrät und der Irene mit den simpelsten Tricks beeindrucken will, zu küssen, es gibt sogar die Möglichkeit, mit diesem Mann, dem sie und Albert verschiedene Spitznamen gegeben haben (il Professore, der General), zu schlafen, im Schuppen oder im Gebüsch, schnell und achtlos wie zwei Hunde; es könnte sie heilen, denkt sie, indem es alles entwertet; es könnte sogar Spaß machen, sie müsste nur für einige Minuten sich und ihn vergessen können. Was ist, fragt er, warum lachst du? Er gibt ein schnaubendes Geräusch von sich, das wie der Auftakt zu einem Lachen klingt, dem er aber kein Lachen folgen lässt. Was ist so komisch? Irene zuckt mit den Schultern.

Nichts, sagt sie, eigentlich ist gar nichts komisch. Sie legt den Kopf zurück und schließt die Augen. Wenn ein Tier die Kehle darbietet, appelliert es an das Mitleid des Gegners, ob er das weiß? Aber sie selbst weiß nicht, ob sie Schonung will oder die Annahme ihres Opfers.

Wenn er jetzt spricht, ist seine Stimme sehr nah. Er flüstert, er sagt ihr Nettigkeiten. Sie will nicht hören, dass sie schön sei und er sie seit ihrer ersten Begegnung begehrt habe, sie hat den Eindruck, dass ihr schlecht würde, wenn er von Liebe spräche oder von Schicksal. Er muss sich nicht sorgen, dass sie aufhören könnte, ihn zu mögen; sie hat ihn nie gemocht. Er versteht nicht, dass das der Grund ist, warum sie mit ihm schlafen wird. Dass sie hofft, die Dinge dadurch wieder ins richtige Maß zu bringen, das Körperliche auf seinen Platz zu verweisen (*vom* Platz zu verweisen, denkt sie), als eine Sache, die passieren kann, aber nichts bedeutet. Sie ist jetzt schon schön, sagt Peer, sie kommt ganz nach dir. Er zieht am dünnen Stoff der Tunika, um an ihre Schultern, ihre Brüste zu gelangen. Und sie weiß es, flüstert er, sie weiß es ganz genau. Er spricht von Ellen, und es ist, als würde er Irene in ein Becken mit Eiswasser tauchen. Sie sagt, ich muss gehen, sie stößt sich von der Wand ab, sie geht zwischen den Farnen entlang, er schickt ihr ihren Namen hinterher wie einen verirrten Schuss, sie stolpert über einen Stein und kann sich im Fallen noch halten, sie beginnt zu laufen, auf das Haus zu, dessen Fenster buttergelbes Licht ausstrahlen, der Affenbrotbaum steht verlassen in seinem Rondell, die schwarzen Früchte hängen wie erschlaffte Ballons an den Zweigen, auf der Terrasse kann Irene Albert erkennen, der sich suchend umschaut; sie fühlt sich, als komme sie nach einer langen Reise zurück, aber noch weiß sie nicht, ob sie alles so vorfinden wird, wie es war, ob ihre Kinder unversehrt sind, die sie alleine in einem fremden Haus zurückgelassen hat, in einem Haus, von dessen Balkon sie sich hinabstürzen, dessen hölzerne Wände in Flammen aufgehen könnten, dessen Ecken und Kanten und Fallgruben sie nicht kennen. Lass uns gehen, sagt sie, als sie außer sich vor Angst Albert erreicht, der inzwischen den Turban abgesetzt hat und aussieht wie immer; lieber, lieber Albert, denkt sie. Sie verabschieden sich hastig von Linda, die ihren Hut in die Hand nimmt und ihnen hinterherwinkt. Und sie rennen die paar Schritte zu ihrem Ferienhaus, halten sich an den Händen, sie lachen heiser und wie erleichtert auf, als sie das Haus erreichen, das führerlose Schiff, in dem ihre Kinder schlafen, der Dunkelheit ausgeliefert, dem nächsten Tag entgegentreibend, nichts ahnend von der Gefahr.

In der Erzählung *Eine Art Liebe* finden sich Zitate aus James Joyce' Roman *Ulysses*, aus Briefen von James Joyce an Nora Barnacle, aus dem Buch von Brenda Maddox: *Nora. Das Leben der Nora Joyce* und aus der James-Joyce-Biographie Edna O'Briens.

Die Erzählung *Gewinner, Verlierer* enthält Zitate aus den Gesammelten Werken Sergej Jessenins, aus Carola Sterns Buch *Isadora Duncan und Sergej Jessenin. Der Dichter und die Tänzerin* und aus Jochen Schmidts Monografie zu Isadora Duncan.

Inhalt

Lesen Sie von derselben Autorin:

ANNETTE MINGELS
DIE LIEBE DER MATROSEN
Roman. 346 Seiten, gebunden

Die Liebe der Matrosen gibt es auch an Land – als flüchtige Suche nach Nähe. Klara ist Anfang zwanzig, als sie erfährt, dass ihr Freund sie mit ihrer besten Freundin Sylvie betrügt. Sylvie reiht wie betäubt einen Mann an den anderen – bis sie einem verfällt, der ihr Vater sein könnte. Auch Klaras Eltern kennen die Flüchtigkeit der Liebe, stürzen sich in Abenteuer oder versuchen einen Neuanfang. Auf Ausbrüche der Lust folgt die erschrockene Frage nach dem Preis des Glücks, das Abwägen zwischen Verlangen und Verzicht.
Vier Menschen erzählen ihre Lebens- und Liebesgeschichten, die vielfältig miteinander verflochten sind. Und im Spiel der Beziehungen ist nie gewiss, wer am Ende gewinnt und wer verliert – von der Verführung zum Verrat ist es ein kleiner Schritt.
Mit großer erzählerischer Macht und außerordentlichem Einfühlungsvermögen legt Annette Mingels' Roman das Leben von vier Menschen bloß, die sich im Auf und Ab von Hoffnung und Enttäuschung verstricken. Besessen von der Suche nach dem ersehnten Glück entgleiten ihnen die Bindungen von Familie und Freundschaft. So treiben sie, ihrer Illusionen und Unschuld beraubt, wie Schiffbrüchige ohne Aussicht auf Rettung.

»Von der Illusionslosigkeit der Liebe erzählen, ohne in Gefühlsduselei oder cooles Pathos zu geraten, dafür aber umso entschiedener die Mechanismen der Liebe aufdecken – das macht die vibrierende Spannung dieses Romans aus.«
Hajo Steinert, DEUTSCHLANDFUNK

ANNETTE MINGELS

DER AUFRECHTE GANG

Roman. 167 Seiten, gebunden

Ruth ist Ende Dreißig, als ihr Mann stirbt. Sven war ihr ehemaliger Kunstgeschichts-Professor, er hätte ihr Vater sein können. Als seine Krankheit ausbricht, wünscht er weiterzuleben wie bisher. So geben beide vor, in ihrem ruhigen, von kleinen Lügen durchzogenen Dasein ändere sich nichts.

Mit Svens Tod beginnt Ruths Leben von neuem. Sie bricht auf zu einer England-Reise mit ihrer Jugendfreundin Simone, die sie seit der Hochzeit nicht gesehen hat – die Freundin ertrug den neuen Mann an ihrer Seite nicht. Auch William kommt mit, Simones siebzehnjähriger Sohn, den Ruth bei ihrer letzten Begegnung noch als Baby im Arm hielt.

In den Tagen ihrer Fahrt wächst zwischen Ruth und William eine Zuneigung, die schließlich unübersehbar wird. William ist überzeugt, dass sie zueinander gehören, doch Ruth hadert mit dem Unterschied ihrer Jahre. Als sie dennoch zusammenkommen, beginnt eine unmögliche Verbindung.

Annette Mingels' Heldin Ruth erzählt klarsichtig und illusionslos das Leben im Unvollkommenen: an der Seite des älteren Mannes und voller Sehnsucht nach dem jüngeren. Mit großer Souveränität und reich an Beobachtungen fügt Annette Mingels die großen Gegenstände der Literatur – Tod und Liebe, Glauben und die Frage nach Aufrichtigkeit – zu einer eindrucksvollen Geschichte.

Neu im Frühjahr 2007:

SUSANNE HEINRICH
DIE ANDERE
Etwa 280 Seiten, gebunden

Marion trifft Luna durch einen Zufall wieder – in Paris, wohin sich beide geflüchtet haben. Vor ihrem Leben, vor den Männern, vor der Vergangenheit. Bei ihrem letzten Treffen waren sie Freundinnen, aber das ist sechs Jahre her. Die Bilder eines rauschhaften Sommers sind nur noch Erinnerung.

Die abgeklärte Marion verfällt ihrer Faszination für die Andere ein zweites Mal. Luna ist wie ein Schmetterling, flatterhaft, unberechenbar und schön, nur um ihr eigenes Glück bedacht, auf charmante Weise lebensunfähig. Sie ist auf der Suche nach Viktor, den sie in jenem vergangenen Sommer für sich gewonnen glaubte. Doch ihre Sehnsucht läuft ins Leere. Luna macht sich Marions Zuneigung zunutze, um Einlass in Viktors Welt zu finden.

Susanne Heinrichs erster Roman entwirft zwischen Hamburg, Paris und der Provence ein Netz gefährlicher Liebschaften, ein atemberaubendes Gespinst aus Sehnsucht, Intrige und Schein. Ein Netz, aus dem es nur einen gewaltsamen Ausweg geben kann.